知的再武装
60のヒント

池上 彰・佐藤 優

JN019041

1254

はじめに

このところ「教養ブーム」が起きています。書店の店頭には、その類《たぐい》の書籍が数多く並んでいます。この本を手に取ったあなたにも、「教養を身につけなければ」という焦燥感があるのかも知れませんね。

これからはＡＩの時代。ＡＩに負けない人材になるためには改めての勉強が必要だ。そんな思いの若い人も多いでしょう。

一方で、長年勤めた会社をリタイアし、残された人生をよりよく生きるためにも勉強をし直したい。そんな人もいるでしょうね。新たにリタイアした人たちの学生時代は、いわゆる学園闘争華やかなりし頃。ろくに勉強もしないで社会に出てしまったという忸怩《じくじ》たる思いの人も多いはずだからです。何を隠そう、私もそのひとりです。そのため、社会に出てからも、いや社会に出てからの方が、必死に勉強してきたように思います。

社会に出てから、それなりに勉強してきたという自負を持っていたのですが、その自信を見事に打ち砕いてくれたのが佐藤優氏でした。現代の「知の巨人」と呼ぶのにふさわしい存在です。

彼は学生時代から真摯《しんし》な勉学を積み重ねてきましたが、社会人になってから神学の研究も続けて来られました。

さらに東京拘置所という、佐藤氏に言わせると「読書に適した」場所に長期間拘束されることによって、彼の教養は磨かれ、深まりました。

拘置所という特殊な空間での読書は、快適な別荘とは異なり、ある種の切迫感があったのではないでしょうか。そこには「いずれ来る死を前に何ができるのか」という自らへの問いかけもあったのではないかと私は見ています。

私は佐藤氏より10歳年上であることから、より死を身近に感じる立場にいます。身体の寿命は長くなっても、知的活動ができる健康寿命には限りがあります。それまでの間に何ができるのか。そんな問題意識を持って佐藤氏と対談してきました。

佐藤氏の話はしばしば脱線。外務省の裏話や安倍政権の内幕にテーマが及びましたが、その見方もまた、勉強になるものでした。なるほど、世の中はこのように見ることができるのだ、と。

そんな観察力、分析力を身につけることができたのも、氏が凄絶な経験をして、〝生きるために〝学習を続けてきたからでしょう。

対談の始めにお互いが一致したのは、45歳が人生の折り返し地点だということでした。そこまでに何ができるのか。その年齢から何をすべきなのか。自分たちの経験(私の場合は反省ですが)を踏まえて長時間に渡り語り合いました。この対談自体が、自分にとっての知的再武装でした。あなたの知的再武装に少しでもお役に立つことを願っています。

2020年1月

池上　彰

知的再武装 60のヒント ◎ 目次

ヒント16　新幹線のグリーン車というのも良い読書空間。グリーン車代はちょっと奮発した喫茶店代だと思えばいい

ヒント17　教えるプロにお金を払って勉強する。これは基本的に、どんな学習でも最も効率がいい

ヒント18　カルチャースクールは看板をちゃんとした人がやっているものは、内容も値段に比例する。自分の中で何が必要かを絞る

ヒント19　語学には終点がないから、どこまでやめるのか終わりを決めておく。最低限の踊り場、英検の準一級ぐらいまでは頑張る

ヒント20　学校には節目があるから、師を替えることができる。先生の部屋のドアをノックする権利は生徒の側にある

ヒント21　健全な常識でもって、権威に対しても常に疑う。一カ所で鍛えられた土地勘を持っていれば、他の場所に行っても、怪しいことに気付く

ヒント22　45歳を回ったら新しいことは頭に入らないのが普通。最初から自分の頭はバケツではなくてザルなんだと自覚すること

■フランス人記者が戦慄した東京拘置所の検査

ヒント23 大量のものを強制的に覚えこんで記憶力を上げる

ヒント24 読書の間に眠くなったり読めなくなったりしたら、腹式呼吸で音読してみる。本が読めなくなったら、オーディオブックなどを併用する

ヒント25 アウトプットは重要。誰かに話すことを前提にして、本を読んだり勉強したりする

ヒント26 知人に話すときは四十秒一本勝負。頭の体操になる

ヒント27 理解するためにものすごい時間がかかるものは、中高年は捨てなくてはならない

ヒント28 映画を見ることによっても相当多くのことが学べる。ちょっと捻った恋愛映画もいい

ヒント29 小説を読むのも映画を見るのも、単に娯楽として見るんじゃなくて、主体的に分析してみる

ヒント30 時代劇がどの程度の時代考証をしているのか、字幕でどう訳しているのかも勉強になる

【第三章】 いかに学び続けるか

ヒント31 勉強を維持するために、敢えてあまり短期で完成しないことを対象にする方法もある

ヒント32 ヒトラーとレーニンに読書術を学ぶ。自分の頭の中で記憶して、それを血肉化すること

ヒント33 短いネットニュースを信じるのは一種の信仰。教養とは何かと言えば、適切な場面で立ち止まれること

ヒント34 健康は衰えていくことを前提にする。健康においても勉強においても、いつまでも前のめりで行くのはやめる

ヒント35 タイプの違う仕事に切り替えることで、休みにする。「仕事＝楽しい」というスタイルの生き甲斐だってある

ヒント36 午前中は知的インプットの時間に当てる。午後はアウトプットなり、体を動かすことをする

【第四章】　今の時代をいかに学ぶか

ヒント37　自分の会社で延長する再雇用は考え直した方がよい

ヒント38　60歳の壁あたりのときに、やることをちゃんと見つけているかどうかで大変な違いが出てくる

ヒント39　「知的再武装」の最終目的は何かというと、良く死んでいくこと。別の点と線を結んで作り直していけば、過去は変えられる

■政治においては長生きすることが勝ち

ヒント40　若い人と付き合うのは非常に重要。教えられることも多い

ヒント41　60歳を回ってからの人間関係は、過去にあった人間関係の中で伸ばす人を決めていく。60歳でも棚卸しをする

ヒント42　仲間との勉強会を成功させるコツは、会自体をなくす仕組みをはじめから作っておくこと

ヒント43　アウトプットを同人誌にする。60歳以降で、書籍と結びついた人生を送るのかそ

うじゃないのかで、残りの人生は相当に違ってくる

ヒント44　エンドレスでハマる恐れがあるYouTubeには気をつける

ヒント45　ツイッターでも何でも、SNSは見るだけにすること。書き込みを始めるから、泥沼にはまったり、炎上したりする

ヒント46　ウィキペディアの使用には気をつける

ヒント47　フェイクニュースに騙されない教養を身につける。疑うことを放棄しないこと

ヒント48　社会進化論の視座を持てば、いろんな問題があぶり出されてくる

ヒント49　人類が滅亡する可能性がある核問題に対するリアルな認識を持つことは最重要課題

■聖書の翻訳には世界の状況が反映される

ヒント50　怖がる必要のないものと怖がるべきものを峻別する

ヒント51　危機に直面したときに筋を通すこと。そこで人に何かを被せて生き残ろうとする人間は、結局は信頼を失う

【第五章】　いかに対話するか

【第一章】　何を学ぶべきか

ヒント1　**45歳は重要な折り返し地点。45歳までに自分は何をやったのか。そのリスト作りをする**

佐藤　私は最近、「知的再武装」のように、人生のリスタート、あるいは知的メンテナンスを考えるときに、**45歳が非常に重要な折り返し地点ではないか**と思うんです。そのあとは人生のセカンド・ハーフと考えたほうがいい。

池上　私もちょうど、そういう時期だと思います。

佐藤　45歳までに手掛けたこと以外は、たぶん次なる仕事には使えないというのが、私の作業仮説です。45歳までに手掛けたことを伸ばしていくのはありなんだけれども、更地から始めるとだいたいうまくいかない。

だから、**45歳までに自分は何をやったのか。そのリスト作りをする**ことは、非常に重要なんじゃないでしょうか。

池上　45歳というと、私はちょうどNHKで「週刊こどもニュース」のお父さん役を始めたころです。

佐藤　「こどもニュース」というのは、一種の集大成でしょう。それまでの蓄積がなければ絶対にできません。

池上　森羅万象のニュースを扱いますからね。それまでやってきたことを土台にして、改めていろいろと仕込み直したんです。まさに「再武装」でした。

佐藤　あのころの「こどもニュース」はレベルが高かったですよ。

池上　あとで聞いてすごくおかしかったのは、最初の番組を提案したディレクターが、「大変な誤算がありました」と言うんです。当初のコンセプトは、子どもたちが次々と素朴な質問をするのに対して、大人が答えられないというものだった、と。だから今で言えば、「チコちゃんに叱られる！」だったんです。ところが、池上を起用したら、全部答えちゃうんでコンセプトが狂っちゃったって、ぼやいていました。

佐藤　むしろ、その答えを芸として楽しむ番組に変わってしまったんですね。

池上　ＮＨＫの人事は、職員に将来何をやりたいかという希望を出させて、その考課表をもとに上司が部下を面接します。局内でずっと取材をして発信できる立場は、解説委員しかなかったので、解説委員になりたいと毎年書いていました。

そうしたら、「こどもニュース」をやっていたあるとき、廊下で解説委員長に声をかけられて、「解説委員になりたいと言ってるけど、おまえはなれないからな」と言われたんです。「どうしてですか?」と聞くと、「解説委員には専門性が必要だけど、おまえは『こどもニュース』で何でもかんでも解説しているから、専門性はない」と言われて、そこで解説委員の夢が絶たれたわけです。

ああ、もうNHKにいてもしょうがないやと吹っ切れた。その一方、自分はニュースをわかりやすく解説するのが専門性なんだと考えてみると、そういうタイプの人はほかにいないから、ニッチなところで一人ぐらいそれで食べていけるんじゃないかと前向きに考えた。だから、「こどもニュース」が人生の転機になったし、辞める決意ができたのは解説委員長のおかげです。

佐藤　NHKの解説委員って、私のイメージからすると、解説の仕事はぜんぜんやらない感じがしますね。とくに政治系なのか国際系なのか、彼らは永田町や霞が関との間を行き来して、何かいろいろ怪しげなことをやったり、あるいは金融資本家のプライベートジェットに乗って、それを自慢するとか、そんなフィクサー的なイメージが強いんですけど(笑)。

池上 いや、いや、いや、解説委員にもいろいろありまして、社会部や科学文化部系の解説委員はちゃんと解説の仕事をしているんですよ（苦笑）。

佐藤 私の45歳はまさに画期的で、東京拘置所から出てきて、その後の人生を決することになる『国家の罠——外務省のラスプーチンと呼ばれて』（新潮文庫）で作家デビューした年です。基本的には、それまでの蓄積で、今も食っていることになります。そのあと、新しく入ってきたものは何もないです（笑）。

池上 何を言ってるんですか（笑）。常に蓄積し通しじゃないですか。

佐藤 でも、やっぱり、大きな違いは、40代前半にくらべれば、喧嘩をしなくなりましたね。モノを投げたりすることもなくなったし、大声で人を怒鳴るようなこともなくなりました。

池上 喧嘩をしなくなったんじゃなくて、暴力的な喧嘩をしなくなったということでしょ（笑）。

ヒント2　年に一度ぐらい、自分がこの一年で何をやってきたか、蓄積したことは何かの、棚卸しをしてみる

佐藤　話を戻せば、45歳になったころ、自分がそれまでに何をやってきたかを確認するのは、死活的に重要なことです。

池上　いわば自分の蓄積の棚卸《たなおろ》しです。いろんな商店は必ず年に一回、棚卸しをして、在庫が何かを確認するわけでしょ。そのために一日、お店を休んだりする。45歳ぐらいから、**年に一度ぐらい、自分がこの一年で何をやってきたか、蓄積したことは何か、そういう棚卸しが必要です**。

佐藤　それは、キリスト教的には日曜日にやることです。そもそもはユダヤ教の安息日（土曜日）に由来します。安息日に仕事をしたらいけないというのは、神は六日間で世界をつくられて、七日目に休まれた。六日間を働いたら、安息日に自分のしたことを見ろということです。キリスト教は、ユダヤ教の土曜日からイエス・キリストが復活した日曜日

に安息日を変更しました。

池上 ユダヤ教で言えば、金曜日の日没から土曜日の日没までです。その間に来《こ》し方《かた》を振り返る。日本人の場合、**毎週やれと言ってもなかなか難しいので、年に一回か、あるいは盆暮れや正月がちょうどいい。**

佐藤 正月の四日間ぐらいは仕事がないので、その間にいろいろ考える。

池上 とはいえ、私はＮＨＫを54歳で辞めるときに、何も考えていなかった（笑）。ただ、その時点で、出版社二社から本の依頼があったので、とりあえず一年は何とかなるかなという感じで、そのあとのことはまったくの白紙でした。

辞めていろいろ自由にやっているうちに、どうも池上はＮＨＫを辞めたらしいということを民放の人たちが知るようになり、出演の誘いを受けるようになりました。民放に出るために辞めたと勘違いされていますが、それは違います。あくまでも活字の世界で生きていこうと思っていました。

佐藤 映像の世界から活字の世界への転換点ではあったんですね。

池上 そもそも自分史をかえりみると、ＮＨＫに入局して最初の赴任先が島根県の松江放送局でした。松江警察署と島根県警、松江地方裁判所と広島高等裁判所松江支部、それから市役所と県庁と日銀松江支店、三年間でこれらを全部、見て回りました。そこで地方の政治機構がどういうものかを学んだんです。

そのあと、広島県の呉通信部に行って、三年間はカメラマンでしたから、映像をどう撮るか、どういう映像を撮ればわかりやすくなるかを勉強しました。次は東京に戻って、警視庁の捜査一課、捜査三課で警察の仕組みを学び、そのあと気象庁担当になったので、気象全般や警報について、あるいは地震や火山のメカニズムをひたすら勉強したわけです。

佐藤　いい流れですね。

池上　続いて文部省に行かされて、教育行政の取材をすると同時に、予算折衝《せっしょう》になると大蔵省へ取材に行くし、国会開催中の文部大臣の記者会見は参議院の議員食堂でやるので、国会にも顔を出す。結局、霞が関の仕組みと中央の統治機構や司法制度を学び、そうこうするうちに昭和天皇が倒れたので、宮内庁に応援に行き、宮内庁や皇室について学びました。

佐藤　裏返して言うと、外交・安全保障と自民党の派閥抗争以外は全部、触っている。ほとんど全部学んじゃったわけですね。

池上　本来は社会部だから、霞が関には縁がなかったはずなんです。社会部の記者が霞が関に行くのは、事件が起きたときぐらいですから。

佐藤 そうそう、社会部が来ると、目つきが違うから怖いの。外務省に社会部の記者が来たのは、約七億円の官房機密費を詐取した松尾（克俊）事件と、私の事件のときぐらいでしょう（※鈴木宗男代議士の国後島でのムネオハウス建設に端を発する様々な疑惑をめぐる事件に連座する形で、佐藤氏が国策捜査に巻き込まれ、背任と偽計業務妨害容疑で逮捕・起訴された事件。事件全体の大きな構図については96ページを参照）。

ヒント3 45歳までに仕事で必要に迫られた勉強の蓄積があれば、そのあとの人生もおのずと決まってくる

池上 それで平成元年になると、「首都圏ニュース」のキャスターをやれと言われ、雑誌の『TVガイド』でニュースの連載を始めたので、中東問題だとかアメリカの戦後だとか、国際情勢の勉強を猛烈にやりました。

佐藤 ああ、それはいいですね。

池上　もう毎週毎週、ひたすら勉強です。この『TVガイド』では、あまり政治や経済に関心がない人に読んでもらうにはどうしたらいいかを工夫したんです。設定は、生意気な中学生の娘と父親の会話みたいな形にして、そのやり取りの中でニュースを解説していく。それを五年間やって、ずいぶんと勉強しました。五年間続けて蓄積ができたところで、「こどもニュース」をやれと言われたんですね。

佐藤　ちゃんと連続性がある。

池上　**会社の中で一所懸命に仕事をやることによって自分が成長するし、大事なのはその過程でどれだけの勉強をするかです。**就職していろんな仕事をするときでも、自分の仕事に関係するものを、徹底的に勉強することは大事ですね。

会社人生の中で、当然、意に沿わない人事異動があっても、新しい部署ではこれまで経験したことのないことを新たに経験するわけでしょ。ふてくされないで、そこで本を読んだり勉強したりすることが、結局は自分を成長させてくれるんです。

佐藤　それは大事なことです。

池上　私の場合、経済学部を出て法学は知らなかったので、警察を担当して最初に困ったのは、刑法と刑事訴訟法の基礎的な知識すらないことでした。だから、まずそこから一所懸命に勉強しましたよ。**45歳までに仕事で必要に迫られた勉強の蓄積があれば、そのあとの人生もおのずと決まってきます。**

佐藤さんの場合は、外交官の仕事のほかにも、モスクワ大学や東京大学で講義をされていたし、やはり、東京拘置所にいたときの五百十二日間が、莫大な蓄積をするいい機会だったわけでしょう?

佐藤 モスクワ大学でプロテスタント神学の客員講師を依頼されたときは、確かに神学やマルクス(※カール・マルクス。ドイツの経済学者。1818~1883年)、エンゲルス(※フリードリヒ・エンゲルス。ドイツの経済学者。1820~1895年)、宇野弘蔵(※日本を代表するマルクス経済学者。1897~1977年)などを丁寧に勉強し直しました。東京大学での講義は学生のリクルート的な意味合いもありましたが、拘置所暮らしが後々のために良かったのは、文句なしにそうです。

池上 佐藤さんには東京拘置所での生活を克明に記した『獄中記』(岩波現代文庫)という著書があります。

佐藤 ええ。その本の巻末に、「獄中読書リスト」というものを載せたんですが、岩波書店から出ている『岩波講座日本歴史(全二十三巻、第三次1967―68年)』や『岩波講座世界歴史（全三十一巻、第三次1978―80年）』とか、小学館の日本古典文学全集の『太平記（全四冊）』も読んだし、『廣松渉著作集（全十六巻）』（岩波書店）、『廣松渉コレクション（全六巻）』（情況出版）、ヘーゲル（※ゲオルク・ヴィルヘルム・フリードリヒ・ヘーゲル。ドイツの哲学者。1770～1831年）の『精神現象学（上下）』（平凡社ライブラリー）や『歴史哲学講義（上下）』（岩波文庫）もすべて読みました。

勾留十二日目の日記に、「まずはヘーゲルからである。『合理的なものは存在し、存在するものは合理的である』ということを、正確に理解しなくてはならない」などと書いてあります。ヘーゲルは現実的と言っているのですが、私はそれを存在と解釈しました。私は存在について考えてみたかった。『精神現象学』は「哲学史上最も難解」と評される本です。大学時代から何度も読了を試みたのですが、できなかった。獄中ではじめてこの目標を実現しました。

『精神現象学』

古典ギリシャ語、古典ラテン語、ドイツ語、チェコ語を勉強できたのも有益でした。学術書を中心に二百二十冊ぐらいを読みましたかね。

池上 そういう難しい本を二日に一冊のペースで読んだわけですから、すごい集中力です。廣松渉(※哲学者、東京大学名誉教授。1933〜1994年)の著作集なんか、ほんとに身動きが取れないときじゃないと読めないですから。佐藤さんの教養の基礎となる古典をそこでかなり読み込んだことが、佐藤さんにとって実に大きなことだったんですね。

佐藤 みなさんも一度、拘置所の独房で勉強されることをお薦めしておきます(笑)。

ヒント4 **勉強することが生きる意欲につながる。目には見えないが、確実に存在する力が勉強によってついてくる**

佐藤 勉強に関して付け足しますと、仕事が一つ終わったとか、**仕事で先が見えたときに、勉強すること自体が、生きる意欲につながる**こともあるんじゃないでしょうか。

池上 それは間違いなくあると思います。

佐藤　グローバルな展開のために勉強が必要だとか、あるいは会社で上に上がるために勉強が必要だということもあろうかとは思いますが、客観的に見て、自分にその可能性はない人もあるわけです。そういう人にとっての**勉強とは何かと言うと、やっぱりそれは自分のためになるということ**です。

池上　日本の大学は、大したことをやらなくても卒業できてしまうから、今になってみてほんとに足りなかったな、勉強し直したいなと思っている人が一定程度はいるわけで、そこから出発してみるのがいいんじゃないですか。

佐藤　つい先日、高校の同級生で浦和高校の教師をやっている人と話をしたんです。彼は管理職試験を受けないし、かといって組合の活動をしているわけでもない。教材研究とかを一所懸命にやっている。で、「何が楽しい？」って聞いたら、生徒が「わかった」と言って嬉しそうな顔をしてくれるのがいちばん楽しい、それがおもしろいからやっていると言うんです。だから、知ることの喜びとかおもしろさって大事なんですよ。

池上　私も同期の連中と時々集まるんですが、もう69歳ですよ。ボランティアをやっている人間はまだ生き生きとしているんだけど、そうじゃないのは、もうボーッとしてやることがないんだと言うんです。これは絶対に良くない。**リタイアして、やることがなかっ**

たら、寿命を縮めますよ。

佐藤 池上さんが書いた『伝える力』（PHPビジネス新書）もそうですが、一つのキーワードは力ですね。勉強とか知識とか、それによって力がついてくる。**目には見えないけれども、確実に存在する力が勉強によってついてくる。**その力をポテンシャルと呼んでもいいですが。

ポテンシャルを持っていれば、それは潜在していますから、いつか顕在化させることができる。仕事で顕在化するかもしれないし、もしかしたら子どもとの関係とか、家族で問題が生じたときに顕在化するのかもしれない。あるいは、自分の定年後の人生とか、病気になったときに使えるかもしれない。いろんなことで使える基本的な力であることがポイントなんです。

池上 **自分のポテンシャルを蓄えることが勉強だし、自分のポテンシャルを再発見するのも勉強だ**ということです。

佐藤 今までわれわれは、受験であるとか、出世であるとか、そうした功利的なものに勉強を結び付け過ぎていたんでしょうね。

ヒント5　根っこがあるところで勝負する。何を諦めて、何を伸ばすかを見切ること。大人は好きな勉強だけすればいい

佐藤　新しい知識で言うと、池上さん、自分がまったく未知の分野のことで頭にきちんと入ってくるのって、いくつぐらいまでですか。

池上　自分の得意分野の中での新しい知識ならば、ある程度は入ってきますね。

佐藤　まったく新しいことをやっても、入って来るものと、来ないものがある。**すでに根っこがあることを伸ばしていくことはできるから、根っこがあるところで勝負する。**逆に言うと、**45歳までは新しいことを積極的にやったほうがいい。**

自分の勉強スタイルというのは、実は45歳になるまでにはすでに確立しているし、45歳よりも早く確立していたことに気付くことでもあるわけです。あるいは、45歳で見切って何かを捨てることができるようになったり、自分のどこが強いかを対象化できる。成功している人は、だいたい強いところで勝負しているんです。

私の場合、まだ外国語を仕事で使っているから、新しい言語を習ってもそこそこのところまでは行きます。ただし、関心のない分野のことはさっぱり頭に入ってきません。たとえばスポーツですが、野球、ゴルフ、競馬、こういうものはぜんぜん頭に入らない。

池上　私はまったく新しい言語を覚えるのはとても無理ですね。英語をもう少し勉強し直すというのはありですが、ロシア語なんて絶対に無理です。

佐藤　ある程度、年をとってから、まったく新しいジャンルの勉強をすべきかどうかは、すごく大きな問題ですね。つまり、「知的再武装」において、**自分の限界を知ることと、何を諦めて、何を伸ばすかを見切ることはすごく大事になってくる。**

言い換えれば、近代経済学でよく出てくるところの「機会費用」（※与えられた条件下で最善のものを選択した場合、犠牲となったものの中の最善のものの価値）ですよ。何かをやるということは、別のことを失っているわけです。ほかのどの可能性を失うことになるかをちゃんと考えるべきです。

たとえば私は学生時代に、テニスをしなかったし、スキーも麻雀もしなかった。しかし、酒は飲んだから、その分、何かを失っているわけです。それは楽しいと思うことが人とは違ってしまっただけのことです。別に外国語を勉強しても苦痛じゃないし、百科事典を端から端まで読んでも苦痛じゃないですからね（笑）。学生時代に集中的に仕込んでいた神学や哲学や語学が、たまたま外交官とか作家になったときに役に立っているということです。

池上　繰り返しますが、自分がこれまでに何をしてきたか、それを自分の中で捉え直すことですね。

佐藤　そう。比較優位の原則（※自分の最も優位な分野に特化・集中すること）じゃないですが、その後の人生において知らないと致命的になるような短所は埋めていかなければならないけれども、**重要なのは長所を伸ばすことです。何でもかんでもやろうとすると、失敗しますから**。

池上　自分の長所と短所を自覚するわけですね。小学生のころは、短所を克服しようと一所懸命に勉強したわけですが、もう45歳を過ぎたら、そんなことは無駄ですね。

佐藤　私は字が汚いんだけれども、習字とかやらなくてもいい。苦手なものはやらないことです。

池上　**嫌いな科目はやらなくてもいいというのは、大人の勉強の一番いいところです。好きな勉強だけすればいい。**

ヒント6　必要な知識を身につけるには、どれくらいの時間を要するかを見極めること。時間は有限な資産

佐藤　ただし、好きな勉強をする前段として基礎知識が必要とされることがある。たとえば金融工学を知りたいときに、数学の知識は不可欠です。

ただし、時間という制約要因があることは忘れない方がいい。たとえば人生の45歳までを振り返ってみても、自分にはどれだけの時間でどれくらいのことができるのかはわかるわけで、その量的な感覚を持つのはすごく重要です。

池上　マハトマ・ガンディー（※インド独立運動の父。1869〜1948年）に、「明日死ぬと思って生きなさい。永遠に生きると思って学びなさい」という有名な言葉がありましたよ。

中高年になって、生きてきた人生よりも残された人生のほうが短くなってきたとき、やっぱり時間との戦いになる。明日死んでもいいように今日を生きるためには、どうしたら

いいかを考える。ＮＨＫの番組じゃありませんが、「ボーっと生きてんじゃねーよ！」と、チコちゃんに叱られないで済むためには、どうしたらいいのかですね。

佐藤　大事なことは、**必要な知識を身につけるには、どれくらいの時間を要するかを見極めることです。時間は有限な資産ですから。**

池上　ジャンルの見切りでいいますと、私はニュースの解説をしますが、スポーツと芸能は最初から除外しました。すると他のジャンルを逆に濃縮できます。

佐藤　私もスポーツものはそもそも読みません。だから、大宅（壮一ノンフィクション）賞の選考のときに、スポーツ系が候補作に入っていると、ほんとに困っちゃいます。競馬、野球、何がおもしろいのかぜんぜんわからない。

ただし、スポーツと言っても、ナチスがベルリン・オリンピックをどのようにして宣伝に使ったかとか、旧ソビエトでの体育学校の作り方とか、筋肉増強剤の使い方とか、そういうことにはとても興味があります（笑）。

池上　私の場合、推理小説をずっと読んできました。そもそもそれは松江に配属されたときに、放送局の先輩で警察にものすごく強い特ダネ記者がいて、その人が、「とにかく松本清張を読め」と教えてくれたんです。

「清張の小説を読めば、いかに地方の役場で汚職が起きるか、そして、結局は、課長補佐が自殺して終わる、その複雑な構造がすべてわかる」と。それで、『点と線』（新潮文庫）から読み始めたら、すっかりミステリーファンになってしまった。松本清張は私をミステリー好きにした張本人です（笑）。

ほかにも、三好徹とか、佐野洋《よう》とか、本格的な警察の推理ものを読むようになりました。だけど、警視庁の警察官が全国へ自由に捜査に行ったり、都道府県の枠を越えて転勤したり、なんていう小説を見ると、「あ！　無駄だ」と思って、その先は読まない。

まあ、**得意分野を伸ばすのと同じで、本人が楽しければいいわけであって、他人の趣味嗜好を意識する必要はない**ですけど。

佐藤　他人を意識しないと言っても、中高年の学び直しで、よく資格マニアみたいになってしまう人がいますね。まず調理師免許を取って、次に美容師免許を取るとか。それは自分の勉強というよりは、一種の承認欲求なんだろうと思

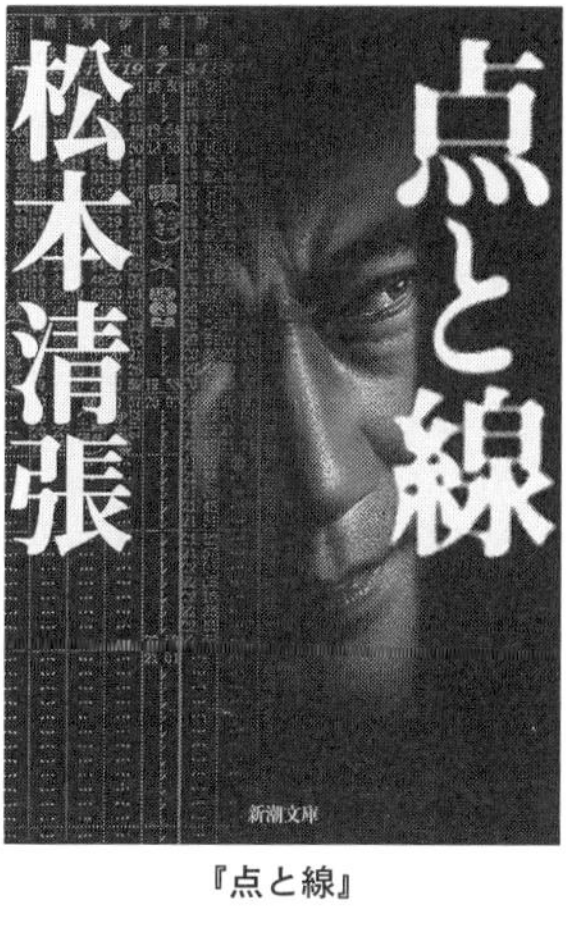

『点と線』

う。そういうのは良くないですね。

池上　自分が何を学びたいのか考えるのとは、だいぶ方向がズレています。

佐藤　それから間違えてはいけないのは、**田舎に住んでしまうとか、こういうことをいきなりやってはいけない**（笑）。あるいは物価が安いからといって海外に移住するとか。それは超上級者コースであって、いきなりやってはいけません。

池上　そういうことに憧れる人がいるっていうのは、テレビ朝日の人里離れた一軒家を訪ねる番組「ポツンと一軒家」が視聴率を二〇パーセントも取っていることが示していま す。観ているのはおそらく定年間際の人たちが多くて、「あ、こうやって山の中でポツンと。こういうのもいいなあ」と。

佐藤　別荘を買うような人は、その練習なんです。いつかは「ポツンと」に行き着くのかもしれない。

池上　別荘買うのって、大変じゃないですか。久しぶりに別荘に行くと、掃除から始まって、カビた布団を干したりして、とんでもないことになる。ときどき貸し別荘に行くとか、ちょっといいリゾートホテルに行くので十分ですよ。

ヒント7　後半の人生で接するかもしれない分野で、異なる業界常識を知っておく

佐藤　45歳まで特定の職業に就いていると、自分が属していた世界の業界常識が世の中の常識かと思いがちですが、意外とそうじゃないことがあります。となると、**後半の人生で接するかもしれない分野で、異なる業界常識を知っておくことが重点科目となる**でしょうね。

それは何かと言うと、たとえば医療保険制度、介護保険制度、特養（特別養護老人ホーム）の構成とか行政サービス、こういうことはよく知っておいたほうがいい。実は、ビジネスパーソンは知らないことが多い。

池上　あるいは、税金の仕組みや年金制度とかもです。二階建てとか、三階建てとか言うけれど、**年金の仕組みを知っていると知らないとでは、全然違ってきます。見えてくる世界が違います。**

佐藤　高額医療費の補助制度とかのお金に関する知識も大事です。小中学生に対して、お金に関する知識を身につけろと最近はよく言うんだけれど、中高年にとっても、それはすごく重要です。いまの制度からすると、医療や福祉などでお金がかからないこともたくさんありますからね。

池上　意外に知られていないのが、在職中も退職してからも条件は様々ですけど、あらためて勉強をしようとすると、厚生労働省からいろんな補助金が出ることです。勉強するのに費用を出してもらえます。「一般教育訓練給付金」や「専門実践教育訓練給付金」がそれに当たるんですが、たとえば英語や簿記検定講座やＭＢＡの取得に、介護の資格など、たくさんあります。いろんな勉強をするにしても、補助金の手続きを知っていると知らないとでは、ずいぶん経済的な負担が違ってきます。

ヒント8　「生命・身体・財産」の順番で考えてみる。

クレジットカード取得の重要性を忘れないこと

佐藤　国語や数学が重点科目であることは間違いないんですが、視点を変えてみますと、たとえば、**「生命・身体・財産」の順番で考えてみる**ことが大事です。最重要科目は、生命にかかわる知識で、その次は身体にかかわること。介護なんかも身体にかかわってきます。そして、最後に財産です。

池上　人生の変わり目で優先順位が変わるということですね。その線で言うと、重要なのは生命保険です。だいたい若いころに就職が決まると、なんとなく保険に入っちゃう。45歳なり、どこかの時点で、これも棚卸ししてみる。無駄か無駄じゃないのか見直してみる。あるいは加入年齢が上になるほど保険料は上がりますから、生命保険制度の仕組み自体を勉強してみるのも結構おもしろいものです。

加入年齢にともなって保険料が上がることで、ある種、**自分のリスクが数値化されて客観的に見ることができます**。

佐藤　保険料には如実にあらわれますね。私なんかは、前科があるから銀行でローンを組むことができないでしょ。しかも作家というのは、銀行にとってはいちばん信用が低いですから。このリスクは自覚しておく必要があるんです。

池上　フリーランスの信用は低いですからね。私はＮＨＫを辞める前に、クレジットカードを作りました。ＮＨＫにいれば一応の信用があるから大丈夫なんですが、フリーになってから申請してもダメだったでしょうね。会社を辞めたからといって、カードを返却しろとは言われません。あとは焦げ付かない限りは、持ち続けられます。

定年退職、あるいはどこかで**会社を辞めようとしたときに、クレジットカードのことは考えたほうがいい**です。辞めてから取得できるかどうかわかりませんから、リスク管理の一種ですよ。

佐藤　それは非常に重要です。

池上　ヨーロッパならＶＩＳＡもいいけれども、マスターカードがいちばん使えます。アメックスはアメリカならいくらでも使えるけど、ヨーロッパだと使えないところが結構ある。ＪＣＢはハワイとアメリカの西海岸はいいけど、ほかの地域は弱い。

佐藤　モスクワでは、ＪＣＢは圧倒的に強いですよ。どうしてかと言うと、ＪＣＢはモスクワじゃ日本人しか持っていないもので、日本人は焦げ付かせることが少ないから信用度が高い。しかも、ロシア人がそれを盗んで不正使用しようとしても、元は日本人の所有物であることがわかっているから、すぐに引っかかって使用できないわけです。

池上　海外旅行に行くときに、自動的に傷害保険が付帯するクレジットカードがありますよね。チケットなどをそのカードで買わなければなりませんが、海外旅行保険に別途入る必要がなくなります。カードの仕組みを調べることもおもしろいですよ。

佐藤 とくにカード決済やスマホ決済によるポイント還元が始まりましたしね。そもそもこのポイント還元というのは、クレジットカードを普及させるための手段としか思えませんが。

池上 財務省が消費税を上げるのに便乗して、経済産業省がこの機会にキャッシュレス社会を作ろうと目論《もくろ》んだ。別のことを同時にやろうとするから混乱が起きるんです。

簡単な抜け道で、悪徳業者二社が組んで、一つの商品をカードで売り買いすれば、結果的にその二社が五パーセント還元ですごいカネを儲けることができるわけです。そしたら、財務省がポイント還元システムに重大な欠陥があることをあちこちで煽《あお》り立てていました。

以前、その問題点についてどうですかと、記者が麻生財務大臣に聞いたら、「それは経済産業省のことだから、経産省に聞いてくれ」と言ったんです。ひどい話ですよ。

佐藤 当事者意識がゼロですね。

池上 そうなんです。ポイントが還元されるカードはいろいろあります。たとえばTポイントカードが、どうしてこんなにいろんなところに入っているかというと、結局、ビッグデータを集めるためです。使う側の一人ひとりは、一応その匿名性は担保されているとはいえ、どんなものを買ったかは、全部、カード会社側には摑《つか》まれる仕組みです。

そういうリスクも含めて、第二の人生をはじめるときや、リタイアしたときは、時間ができるんだから、**身の回りのものを一つひとつ検証していくだけでもおもしろい**ですよ。

ヒント9　何をしてはいけないのかを自覚できさえすれば、後で処方箋は付いてくる

佐藤　クレジットカードが苦手だという中高年はさすがにいないと思いますが、スマホ、タブレットなどの電子端末が苦手な人は多いですね。使いこなしている人とそうじゃない人で二極化している。

池上　新たなデジタル・デバイド（情報格差）です。

佐藤　若い人にもありますね。キーボードを打てない、エクセルが使えないとか。

池上　パソコンを持っている学生が少なかったりします。大学によってパソコン所有率

が違う気がします。偏差値の高い大学ほど所有率が高い。

佐藤 同志社も持っていない学生はいませんね。スマホ、SNSで連絡を取ってくる学生は、有意に成績が悪いです。いまの学生たちは、四百字詰で十枚ぐらいのレポートは平気でスマホで書けてしまう。

池上 そうそう。

佐藤 大学でコピペ（コピー&ペースト）禁止だとか言って、ぎゃーぎゃー騒ぐ先生がいるでしょ。まったくナンセンスだと思う。私は、「いいよ、コピペでも」と学生が書いたレポートを回収するでしょ。その後、紙を一枚配って、「はい、いま出したレポートの要旨をこの紙に書いて」と小テストをする。

その結果、「記憶にまったく定着してないじゃないか。年百万円の学費を払って、こんなコピペやってたら、記憶に定着しないよ。スペック上がらないよ」と言う。すると、学生はみんなコピペをやめる。若い人たちは自分のスペックが上がるかどうかに関しては異常な関心があるんです。

池上 なるほど、いい手ですね。

佐藤 コピペがなぜいけないかについて、私的所有権を侵害しているとか、間違えたことを書くとか、そんな話をしてもムダなんです。自分の中に何も定着していないことがわかれば、一発でやめますよ。

それは中高年でも同じで、**何をしてはいけないのかを自覚できさえすれば、後で処方箋は付いてきます。**

ヒント10　時間との闘いの中で、何を読むかを考える。若いときに挫折した本の再読もいい

池上　この先、自分が自由に使える時間は限られているわけです。30代、40代なら、まだ無限に未来があるように思っていたのに、60歳ぐらいになるとだんだん先が見えてきます。日本の男性の平均寿命が81歳で、健康寿命が72歳ですか。**日本の平均的男性なら、勉強したり活動したり出来るのは、せいぜい75〜76歳まで**でしょうか。

たとえば65歳だったら、あと十年です。一所懸命に本を読んで年間四十冊だとすると、四百冊です。じゃあ、ある種、**時間との闘いの中で、何を読むかです。選択と集中を考え**

たほうがいいでしょうね。

佐藤 根っこがあるところで勝負するというのは、読書に関しても言えることです。

池上 リアルな書店に行って、たとえば古典が並んでいる文庫棚なんかを眺めて、「これ、若いころにちょっとやったんだけど、結局ダメだったよな」というような本を改めて読むとかですね。光文社に古典の新訳シリーズがありますが、ああいうのを見て、「昔、オレが理解できなかったのは翻訳が悪かったせいだ」と思うとか(笑)。もちろん自分の能力のせいでもあるけれども、「今度は新しい訳で勉強してみよう」なんて思い立って読んでみるのもいいですね。

佐藤 でも、ひどい翻訳のせいでわからないことは多々あります。昨年4月に、岩波文庫からライプニッツ(※ゴットフリート・ヴィルヘルム・ライプニッツ。ドイツの哲学者・数学者。1646~1716年)の『モナドロジー』の新訳が出ましたが、リーダブルな翻訳が初めて出た感じです。

池上 岩波文庫の場合は、日本の古典文学、いわゆる黄版が四年ぐらい前からだいぶ変わりました。岩波の黄版は、日本の古典は日本語だから訳をつけないことになっていましたが、いま、注釈という形で、事実上の訳がついています。だから、いまの『源氏物語』

は読めるんです。

佐藤　岩波文庫では、新しい版の『太平記』もいいですね。要約という形なら、ほぼ全訳に近いものが注でついています。岩波文庫は、その点ですごく進化しています。昔は、黄版は古文が得意な人でないと通読できませんでしたからね。

池上　若いころ、自分はこういう問題意識を持っていた、だけど、読めずに挫折した。あのころの気持ちにもう一度なって、青春を取り戻す。だから、自分の人生の再発見という言い方ができるかもしれません。言わば、自分の人生の旅ですね。

たとえばジャン＝ポール・サルトル（※フランスの哲学者・文学者。1905〜1980

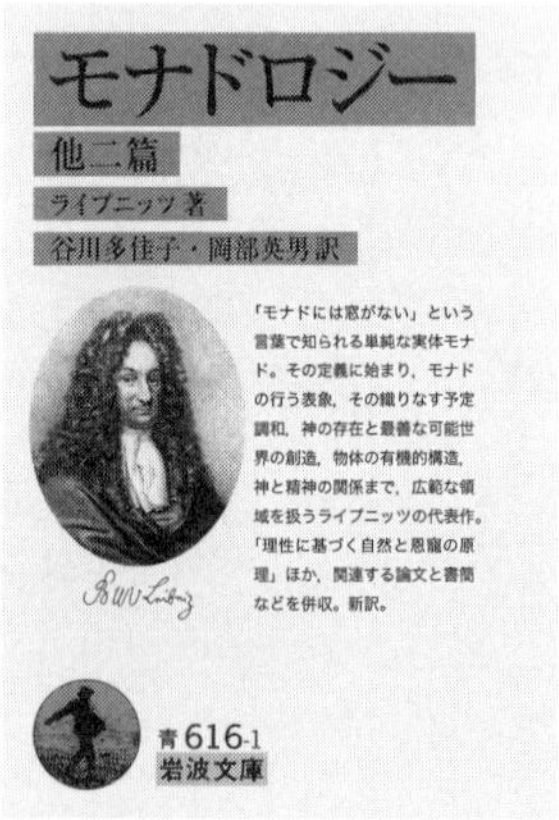

『モナドロジー』

『太平記』

年）を齧《かじ》って挫折したけどもう一度読んでみるとかです。いまさらサルトルでもないですが。最近、解説書もたくさん出ている、マックス・ヴェーバー（※ドイツの政治学者・社会学者・経済学者。１８６４〜１９２０年）の『プロテスタンティズムの倫理と資本主義の精神』でもいいですよ。**古典は読み返すと、若いころとは意味合いが違って読めます**しね。

佐藤　数年前に宇野弘蔵の『経済原論』と、廣松渉の『世界の共同主観的存在構造』が岩波文庫に入ったでしょ。これ、みんな、若いときに読んで挫折した60歳以上の人たちが読んでいるんですよ。

　やっぱり、マルクスの『資本論』マーケットが一定程度あるのは確かですね。トマ・ピ

『唯識入門』

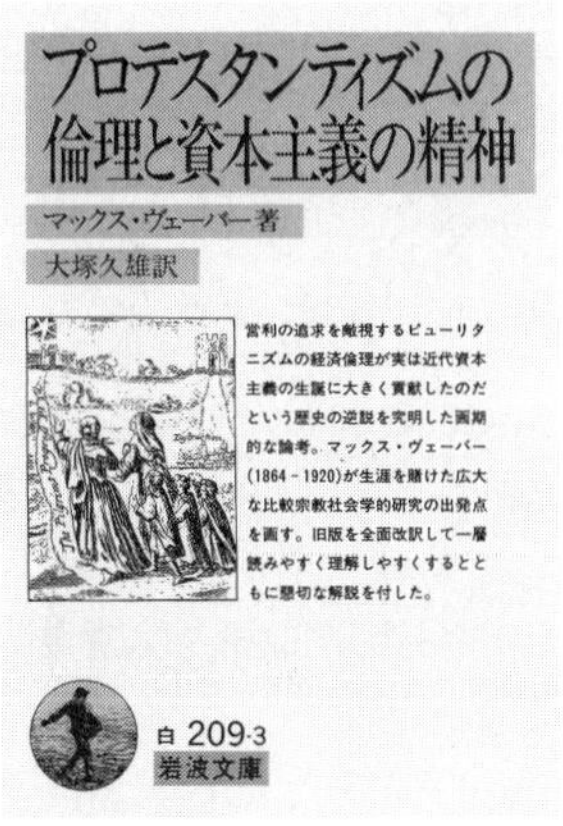

『プロテスタンティズムの倫理と資本主義の精神』

ケティ（※フランスの経済学者。１９７１年〜）の『21世紀の資本』（みすず書房）のバブルは一過性で終わりましたが、『資本論』は終わることなく読まれます。

池上　いま読んでも、また新たに得るものがありますから。

佐藤　読み返すものとして高校の教科書で言いますと、私もあっちこっちで紹介しましたが、山川出版社の日本史とか世界史は、いろんな形で商品化されています。

池上　いま商品化の勢いがあるのは、大学の教科書じゃないですか。

佐藤　そうそう。東京大学出版会にしても、有斐閣選書にしても、学生というよりは大学のＯＢやリタイアした人たちが読んでいるんじゃないですか。最近、帯を書いてくれって頼まれた樋口和彦さんの『ユング心理学の世界』（創元アーカイブス）などの本も、かつてユング心理学を勉強した人たちが再読するんでしょう。

仏教の方だったら、前興福寺貫主・多川俊映さんの『はじめての唯識』（春秋社）という本が、『唯識入門』とタイトルも装丁も変えて出ました。新装版で名著が続々と出てきている感じです。

池上　かつての自分が読んだ本を読み直す。まさに再読の薦めですね。

ヒント11 図書館で借りるのではなくて、お金を出して本を買う。フリーで手に入るものは身につかない

池上 **本をたくさん読むことがとにかく重要なんですが、図書館で借りるのではなくて、ちゃんとお金を出して本を買うことです。**

佐藤 それはもの凄く大事なことで、強調したい点です。買った本はちゃんと読みますから、**知識を身につけるという観点からしたら、本は買うべきです。フリーで手に入るものは身につきません。**

池上 書店の店頭で、値段を見て、買おうかどうしようか迷った挙句、エイヤって買ったものは、ちゃんと読みますね。図書館の本だと書き込みしちゃいけないし、いずれ返さなければならない。**自分のものにして、好きなように汚せばいいんです。**

佐藤 電子書籍だとはっきりします。人は青空文庫でタダで入れたものは読まないでしょ。漱石でも鷗外でも、キンドルとかの有料で手に入れたものは読むわけです。

われわれは資本主義社会に生きていると、知らぬうちに資本主義の垢がついてしまっているから、フリーのものは価値が低いものなんです。だから、身銭を切ることを覚えておいたほうがいいですね。

池上　書店で迷うときって、前書きを読んだり後書きを読んだり、矯《た》めつ眇《すが》めつ、いろいろ見るでしょう。装丁や紙の質から、その本が丁寧に作られているかどうかが段々わかるようになりますよ。

佐藤　私は**翻訳本の場合は、真ん中を見る**ことにしています。真ん中で誤字・脱字や誤植がないかどうかを見ます。編集者は翻訳本の頭のほうは丁寧に作るし、後書きやお尻の章は丁寧に作るんです。ところが時間不足になると、手を抜くのは真ん中あたりですから。

書店の店頭に関して言うと、その本にＰＯＰが立ててあるかないかです。さらに、ＰＯＰがあれば、それを作るだけの力が入っている本だと見るわけです。要するに、ＰＯＰが手書きで書店ごとに違っていたり、作家本人が書いていたりすると、作家自身も力を入れているんだなという見方になります。

ヒント12　古典的な教養としての『聖書』を知る。カルチャーセンターを活用するとはかどる

池上　「知的再武装」のための必読書として、私はまず『聖書』をあげておきましょう。

佐藤　『聖書』は三十一年ぶりにプロテスタント教会とカトリック教会の共同で翻訳し直されまして、２０１８年12月に日本聖書協会から出ました。文芸評論家の富岡幸一郎さんが全文をチェックしていますので、はじめてリーダブルな訳になりました。これはお薦めです。

池上　キリスト教に関係のない人も、ほんとに**古典的な教養として、『聖書』に何が書かれているのか知っておいたほうがいい。**旧約聖書と新約聖書の両方を読むと、たとえば欧米の新聞の見出しやある人物の発言とか映画のセリフとかが、そうか、ここからの引用だったのかと、目からウロコで見えてきます。

佐藤　その「目からウロコ」自体が、新約の「使徒言行録」の「サウロの回心」（9章

18節）に出てくる言葉ですからね。

池上　私は以前、女性誌の『ＣＲＥＡ』で「世界を動かした10冊」という連載をしていまして、そこで『聖書』を挙げました。『コーラン』も挙げましたが、みんな面白いんですよ。それは『世界を変えた10冊の本』（文春文庫）というタイトルで書籍になりました。

佐藤　その本は私も読みましたが、池上さんの解説によって、内容がスラスラと頭に入ってきます。

ただ、『聖書』や『コーラン』は、よっぽど知的な関心があるとか、それを読む必要に迫られないと、まず読めないでしょうね。どうしてかと言うと、近代散文法が成立する以前の文章というのは、よっぽどの宗教的な動機などがな

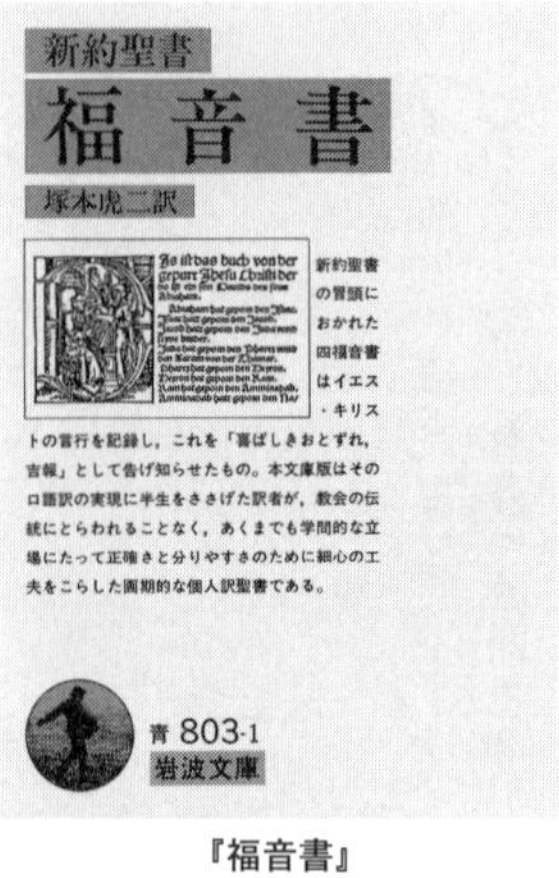

『福音書』

『聖書』

いとなかなか読めないからです。

たとえばマルコ・ポーロの『東方見聞録』を読んでみるといちばんわかりやすい。近代散文法が成立する以前の文章は、一章が五行で終わっていたり、何々について書こうと思ったけど、気が変わったから別のテーマに移るとか、構成法がまるで違うんです。ある章は五十ページで、ある章は半ページでも全然問題ないわけです。今のような編集者もいないわけですしね。

池上 『コーラン』は間違いなく読みにくいんだけど、たとえば『聖書』は岩波文庫の『創世記』だけに絞るとか。

佐藤 キリスト教に絞るんだったら、やはり福音書でしょうね。古いものだったら、岩波文庫の塚本虎二訳『福音書』なんていいかもしれない。

池上 ああ、それはいいですね。

佐藤 ハードルが高いという意味においては、『聖書』もそうだけど、『源氏物語』もそうだと思います。

池上 そうかもしれない。『聖書』、『源氏物語』、『太平記』、こういう本は勉強会で読んだ方がいいんです。

佐藤　ゆる〜い勉強として読むのにいい場所っていうのがカルチャーセンターですよ。一回三千円ぐらいで、難解な本を読むにはいいと思う。

池上　読み進めるのが苦痛なものに関しては、特にいいですね。

ヒント13　文語文が読めるようになれば、情報空間が広がる

佐藤　私のお薦めする本は、矢野恒太《つねた》記念会が出している『日本国勢図会《ずえ》』です。統計学の知識がなくても読める統計の本で、『世界国勢図会』も揃えるといいですね。

『世界国勢図会』にどんなデータが載っているかと言うと、たとえば世界各国の面積や人口といった基本的なものはもちろんですが、「資源とエネルギー」の章では世界の発電量、シェールガスの技術的回収可能資源量、「貿易と国際収支」の章では主要国の貿易相手先、政府開発援助（ODA）の実績、「情報通信・科学技術」の章では主要国のキャッシュレス決済比率、主要国の出版点数、「諸国民の生活」の章では薬物関連死者数などが出てい

ます。面白くて、思わず読み耽《ふけ》っちゃいます。

池上　私も『日本国勢図会』は小学生のときに愛読しました。

佐藤　小学校高学年生が読めるように、文字による解説がきちんとなされています。毎年買えとは言わないけれども、五年に一回ぐらい買っておくといいです。

たとえば、日韓の間にレーダー照射や徴用工の問題が出てきました。これを別の視点で見てみると、日本のＧＤＰは韓国の三倍ですが、韓国の人口は日本の半分だから、一人当たりのＧＤＰの差はそれほど大きくありません。そこに購買力平価（※為替レートは自国通貨と外国通貨の購買力の比率によって決定されるという考え方）を加味すると、いまや日本と韓国の生活水準が同じくらいであることがわかる。１９６５年の日韓基本条約は、朝鮮戦争で韓国の国力が弱りきったときに押し付けられたもので、近年、韓国との力関係が変わってきていることが『世界国勢図会』でわかるわけです。

私は必読書を聞かれると、結構この二冊の本を紹介しています。

池上　勉強ということならば古典的ですが、『学問のすゝめ』を推薦します。

佐藤　福澤諭吉（※蘭学者・啓蒙思想家。１８３５〜１９０１年）の原文はハードルが高いから、齋藤孝の現代語訳とかになりますか？

『世界国勢図会』

『日本国勢図会』

『阿部一族・舞姫』

『学問のすゝめ』

池上　ポイントはそこです。たしかに現代語訳のほうがわかりやすいんですが、あえて難しい原文で読みたい。「天は人の上に人を造らず人の下に人を造らずと云へり。されば天より人を生ずるには……」ですね。

佐藤　読めないほど難しくはないですから。

池上　ああいう**古い言い回しというものを、教養として知っておく必要がある**と思うんです。昔の文語体の『聖書』は格調高いでしょう。

佐藤　そういう意味で言うと、森鷗外の『舞姫』にもトライしてほしい。「石炭をば早や積み果てつ。中等室の卓《つくえ》のほとりはいと静にて、熾《し》熱燈《ねつとう》の光の晴れがましきも徒《いたずら》なり。……」。これを読んでおけば、近代文語文（擬古文）によるテキストのほとんどが大丈夫になります。

池上　私は高校生のときに読んで、つまらなくて挫折しました（笑）。高校生や大学生のときに、名前は知ったんだけど読めなかったような古典を読むことも大事です。

佐藤　冒頭の「天は自ら助くる者を助く」で有名なスマイルズ（※サミュエル・スマイルズ。英国の作家。1812〜1904年）の『自助論』なんかもすごくいい。

池上　あれを読むと、福澤諭吉はスマイルズを相当参考にしていることがバレてしまいます。今だったら問題になるかも（笑）。

佐藤　文語調のものが読めるのは、きわめて重要なことでもあるんです。ロシア革命のあと、ロシア語の文字を三つ変えるだけで、革命以前の文章が読めなくなった。中国も簡体字を導入したことによって、昔の文章が読めなくなった。それと同じで、GHQがやった文字改革というものが、いかにタチの悪いものだったか。新字新仮名にすることによって、戦前のものが読めなくなってしまいました。

裏返して言うと、明治期の文語文で書かれた**『舞姫』が読めれば、江戸時代の後期からのものは読めるようになるから、情報空間が広がる**という意味で、実は非常にコストパフォーマンスはいいんです。『舞姫』が読めないのならば、駿台文庫から出ている『近代文語文問題演習』を一冊勉強すれば、確実に読めるようになるので、知的な世界が飛躍的に広がります。鷗外、諭吉のほかに、西周《にしあまね》、幸田露伴、坪内逍遥、徳冨蘆花、中江兆民、永井荷風、夏目漱石の文章が例題に使われています。

池上　別の効用を言うなら、**文語文を読むと、文章力がつきます**。テンポのいい、切れ味のいい文章が書けるようになる。文語体って独特のリズムがあって、心地良いものなんです。

『近代文語文問題演習』

『自助論』

『古文の読解』

『国文法ちかみち』

佐藤　40代以降になって、**自分の国語力の強化を考えるなら、近代文語文に視野を広げるのは、非常に意味がありますね**。文語と現代語の連絡に関して、きちんとした知識を得るのなら、小西甚一の『国文法ちかみち』（ちくま学芸文庫）は非常にいい。古文にも習熟することができます。

池上　同じ著者で言えば、『古文の読解』（ちくま学芸文庫）もいいですね。高校のときに読んで、実にすぐれた参考書だと思いました。

ヒント14　頂点を極める読書には、富士山の頂点を目指すのと、八ヶ岳連峰を制覇する二つの方向性がある

佐藤　澤田昭夫の『論文の書き方』（講談社学術文庫）も名著です。書く、読む、話す、そしてレトリック（修辞学）まで解説してあります。論文の書き方についてはもちろんですが、読む、話す、の部分がおもしろい。日本人が国際的な場で議論・説得できるようになるための心得まで書いてあります。

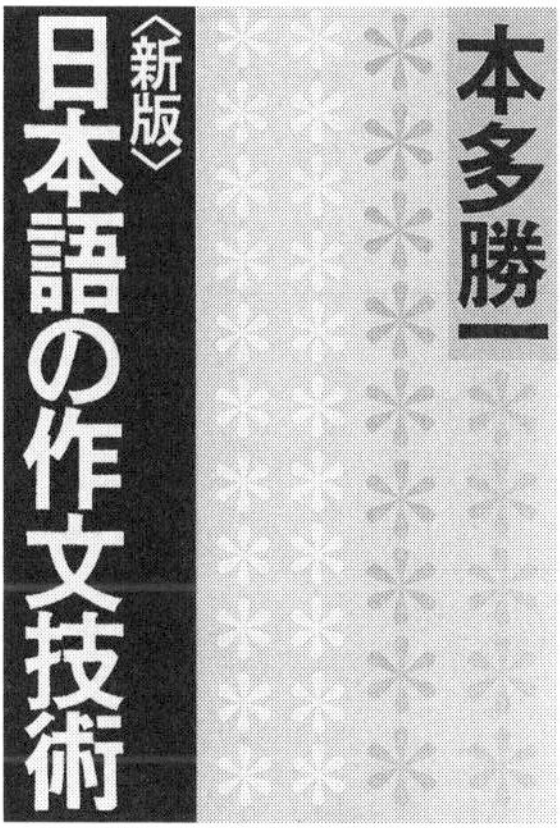

『日本語の作文技術』

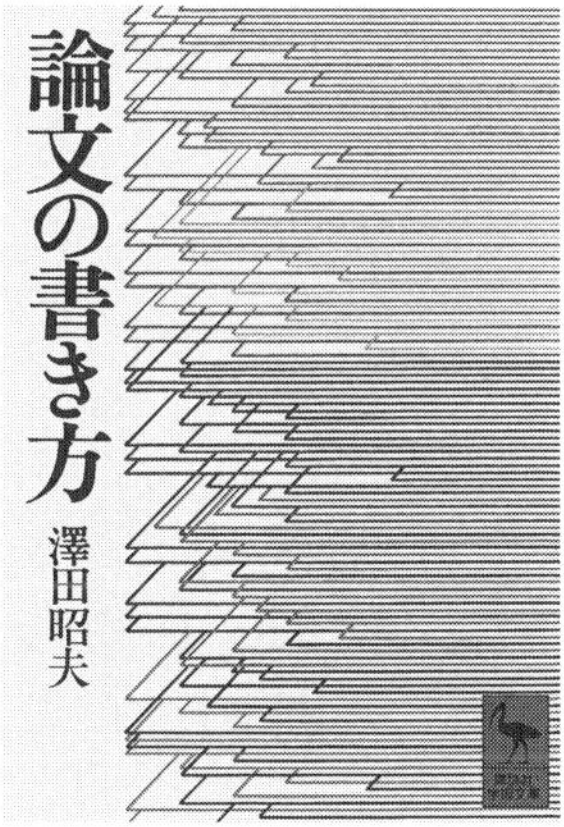

『論文の書き方』

『大世界史』

『私家版　日本語文法』

池上　本多勝一の『日本語の作文技術』（朝日文庫）もすぐれた本です。筆者に対して好き嫌いはあるでしょうけど、わかりやすく誤解のない日本語を書くにはどうするべきかという基本をちゃんと教えてくれます。

たとえば、「渡辺刑事は血まみれになって逃げ出した賊を追いかけた。」と。ここで、血まみれになったのはどっちなのか。「渡辺刑事は、血まみれになって逃げ出した賊を追いかけた。」とテンを一つ打つだけで、こんなにクリアになるということを技術として教えてくれる。あるいはもっと明確にするならば、「血まみれになって逃げ出した賊を、渡辺刑事は追いかけた。」と語順を逆転させればいいと教えてくれます。

佐藤　あれは確かに〝使える〟本です。井上ひさしの『私家版　日本語文法』（新潮文庫）もいいですよ。擬声語は格調が高いのか低いのか、「は」と「が」の助詞をどう使い分ければいいのか、「予想される」「愛される」「見込まれる」といった受身表現が多くなったのはどうしてかとか、非常におもしろい考察の連続です。日本語使いが非常にうまい作家です。

池上　中高年になったからこそ、その価値がわかりますよね。

佐藤　文理融合的なところでは、高校レベルの教科書って意外と読みにくい。ブルーバックスから出ている『新しい高校物理の教科書』『新しい高校生物の教科書』『新しい高校化学の教科書』『新しい高校地学の教科書』、この四冊はお薦めです。

池上　ブルーバックスというのは非常にすぐれた通俗書だと思います。通俗書とは一般の読者に、専門的な知識がわかりやすく、また興味を持ってもらえるように書かれた本のことです。**理系についての知見を身につけたいと思ったら、ブルーバックスシリーズはほんとにいい。**一般読者というものがよくわかっています。

佐藤　類似した理系ものはたくさんありましたが、生き残ったのはこのシリーズだけですからね。日本語で「通俗化」と言うと悪い意味に捉える人がいますが、本来は非常に高い技術が必要なものです。知識を身につけるためには、「通俗化の上手な作家」を見極める目を養ってほしいですね。

池上　**わかりやすく書かれた入門書を選ぶときは、きちんと通俗化されているか、いい加減な通俗化なのか、そこを見極めることが大切**です。

佐藤　読書をさらに進めて、何かの頂点を極める読書があると思うんですが、その場合、**富士山の頂点を目指すというのと、八ヶ岳連峰を制覇するという二つの方向性がある。**私なんかは、八ヶ岳連峰方式が好きで、たとえば哲学だったら『哲学の歴史』（中央公論新

『新しい高校生物の教科書』

『新しい高校物理の教科書』

『新しい高校地学の教科書』

『新しい高校化学の教科書』

社）の全十三巻を読破するとか。歴史だったら、昔、文藝春秋が出した『大世界史』全二十六巻を全部読んでみる。

古本ですごく安いですよ。五年ぐらいの目標で『大世界史』を読破するのはお薦めしますね。読み終えたら、見える景色が変わってきます。第一巻「ここに歴史はじまる」は古代オリエント史なんですが、筆者は三笠宮崇仁です。三笠宮さまは現地のオリエントまで取材に行っているんです。他の巻も現地で取材しているものがありますね。

池上 すごいなあ。出版社も体力があったんだね。

佐藤 『岩波講座世界歴史』は高等教育を受けた人間を対象にしていて学術論文調でひどく難しい。中央公論社は『世界の歴史』と『日本の歴史』を大卒者を前提にして出した。『大世界史』のいいところは、高卒なら読めるレベルにしておいて、さらに日本史と世界史を併せているところです。今の歴史総合の発想です。あのコンセプトはすごくいい。野田宣雄の『独裁者の道』など、あとで『ヒトラーの時代』として独立させて文庫化された名著もあります（現在は文春学藝ライブラリー）。

池上 われわれも、そのコンセプトで『大世界史——現代を生きぬく最強の教科書』（文春新書）を作ったんでしたね。

【第二章】

いかに学ぶべきか

ヒント15 まずは本棚を買う。次に、落ち着いて勉強できる場所を確保する

佐藤　勉強の習慣を身につけるのに、まず、前提となるのは時間とスペースです。時間は希少財ですから、時間を奪う可能性があるものを遠ざける。たとえば、**SNSを使っている中高年は、できるだけ控えた方がいい。**貴重な時間がどんどん奪われますから。次にスペースですが、スペースは二重の意味になります。**まず、本棚を買いましょう。**ちゃんと本を入れる場所を確保すること。**そのあとは、落ち着いて勉強できる場所を確保することです。**

池上　実践的には、まったく賛成です。

佐藤　本を読む習慣がついていない人は、できれば自習室を契約する。自習室に入るときは、SNSを断っていることが前提です。私は仕事場に入るときは、スマホは携帯しません。自習室は図書館じゃダメなんです。少しでいいからお金をかけて腰を落ち着ける習

慣をつけてから、次の段階に進んだほうがいいというのが、私のアドバイスです。

池上 契約するのが難しければ、家の中にDENと書いてデンという、ほんとに小さなスペースが、階段の下なんかにあるでしょう。**目の前が壁で、家族の行き来が見えないような場所で、狭いところに籠《こ》もると集中できます**。あるいは納戸を整理してそこに籠もるのもいい。

書斎がある家庭はいいですけど、ない人も多いので、そういうコーナーを利用する。部屋の三角の隅みたいなところでもいい。一畳か二畳もあれば十分なので、そこに机を置くことです。女性だったら、キッチンの横にちょっとだけ自分で本を広げられるようなところを確保する。最低限ここが自分の居場所というのが一畳あれば、そこが書斎に変わります。

佐藤 東京拘置所の独房の半分ぐらいですね。あまり目の前に壁が迫っていると、陰々滅々としてきますから、パーテーションで囲うのもいいんじゃないですか。ネコが体を隠せる場所があるのと同じように、自分の姿を隠せる場所です。

池上 自分を隠すことができれば、安心して鼻くそほじくれるでしょ(笑)。

佐藤 たとえば定年で夫がずっと家にいるようになると、夫婦もギクシャクしますね。

それはお互いに慣れてないからなんです。夫は自分の場所がないのもストレスなんだけれども、奥さんもつらいんですよ。突然、夫がいつも家にいるようになるわけですから。いつも見られているのもつらい。だから、やっぱり隠れる場所は必要なんです。

池上　私は、時どき気分転換もかねて、家の近くのタリーズコーヒーに行くんですが、いちばん奥のところがまさにそういうコーナーになっているので使えます。要は、**静かに数時間、誰とも会話をしない、話しかけられないで済むような場所を作ること**です。

「こどもニュース」をやっていたころは、年に一度、原稿書きのためにラスベガスに行くという裏技も使っていました。夏は野球中継で一週間休みなんですね。

ラスベガスにはカジノがあるから、五ツ星のホテルが日本のビジネスホテルなみの値段なんです。団体ツアーで、送迎だけやってもらって、あとは自由行動。もちろん飛行機はエコノミークラスですけど、ホテル代込みの五泊六日とかで十万円ぐらいです。すごく安い。

ホテルの下の階に下りていけばカジノで、二十四時間いつでも食べ物と飲み物があります。バニーガールの恰好をしたお姉さんが、「ビア？　カクテール？」と聞いてくるから、そこで頼めば全部タダです。ただし、届けてくれたお姉さんには一ドルを渡す。

佐藤 ちなみにロシアの賭場も飲み食いはタダです。ウォッカ飲み放題、キャビアは食べ放題。タダで飲みたいのなら、賭場はお薦めです（笑）。もっとも酔っ払ってカジノで勝つことは絶対にない。

池上 部屋に籠もって原稿を書いて、くたびれると下に行って、カフェでまた原稿を書いたりしてね。周囲は全部英語ですから、単なるノイズにしか聞こえません。もっともギャンブルが好きな人には、もちろんお薦めしません。それに嵌《は》まっちゃったら、どうしようもない。

ツアーコンダクターが、「何かご希望がありましたら」と言うから、「この辺で本屋はどこ？」と聞くと、絶句して、「そんなお客さん、初めてです」と。で、ネバダ州立大学ラスベガス校の書店に行ったら、教科書しか売っていなくて、ひどかった。ここの学生はどれだけ勉強していないんだと思いましたよ。ハーバードやUCLAの大学の書店は充実しているんですけどね。

佐藤 意外な海外の本屋で言うと、大昔の話で1979年のことですけれど、韓国に行ったときに、大きな本屋でヘーゲルやカント（※イマヌエル・カント。ドイツの哲学者。1724〜1804年）をたんまり買ってきたことがあります。どうしてかわからないけど、韓国で売っているドイツ語の本は、日本の丸善の三分の一ぐらいの値段だったんです。クリスチャン人口が多いから、神学書も豊富にあってよかったです。

ヒント16 新幹線のグリーン車というのも良い読書空間。グリーン車代はちょっと奮発した喫茶店代だと思えばいい

池上　いま名古屋の大学で授業を持っていて通っていますが、**往復の新幹線のグリーン車というのも良い読書空間です。私は本を読むために、国内の移動は極力、飛行機よりも新幹線を使います**。東京を起点にして、西は広島、北は盛岡ぐらいまでは新幹線です。行きに一冊、帰りに一冊、予備に一冊、合計三冊はカバンに入れて家を出ます。

佐藤　たしかに新幹線のグリーン車は、人に話しかけない文化が徹底しているのでいいですね。面識があったり、知り合いも結構乗ってくるんだけれども、会釈《えしゃく》だけで済ませるという独特の文化があるんです。飛行機のプレミアムクラスもそうですが。

池上　グリーン車は、テレビに出ている知り合いによく会いますけど、「おお」って、

これで終わりますからね。

佐藤　かつては、作家とかがグリーン車なんかに乗るのを、なんて横着するんだと思っていましたが、自分で乗ってみるとわかります。グリーン車とホテルのラウンジは、基本的に話しかけられないので、あの高い値段はその代償だと思えばいい。

池上　ほんとに勉強しようと思ったら、あえて奮発してみるのも手なんですね。湘南新宿ラインでもグリーン車を使うと、ピシッと座れて前に向かって本が読めます。

佐藤　池上流の本の読み方のコツで、東京から出る新幹線は問題ないんだけれども、京都や大阪から乗るときには、博多発を避けろ、と。

池上　そうです。混んでいるし、空気がよどんでいるから。だから、帰りの**新幹線を選ぶときに、60号台以下の数字の「のぞみ」は必ず避ける**。1号〜60号台は、博多―東京間ですから。できれば、新大阪―東京間を往復しているやつがいいです。時どき「ひかり」の中にも、新横浜から名古屋の間に静岡と浜松にしか止まらないのがあって、これは空《す》いています。そして速いです。「のぞみ」じゃなくても大丈夫です。

佐藤　「ひかり」は、ジャパン・レール・パスを持っている外国人の比率が高いですね。

グリーン車に乗ることのもう一つのプラス要因は、**人間はそもそもケチンボだから、お**

金を使うと元を取らなきゃならないという心理が働くことです。

池上　喫茶店に入って本を読むときでもお金がかかるわけですから、**グリーン車代はちょっと奮発した喫茶店代だと思えばいい**んです。

佐藤　ただ最近は、切羽詰ったとき以外は、新幹線ではだいたい眠るようにしています。新幹線での作業は倍疲れるようになってきたからです。長距離移動があるときは、前後の日に少しムリをするようにして、新幹線では睡眠を取ります。

池上　たしかにあの振動は心地いいんですよ。私も新幹線でずっと本を読んでいるわけじゃなくて、疲れたら少し寝ます。十分も寝れば、逆に頭はすっきりします。

佐藤　ビジネスパーソンだったら、たとえば湘南ライナーとか中央ライナーに乗る手もありますね。帰りに五百円ちょっと使ってでも、そういう場所を確保する。

池上　リタイアした人なら、暑いときは、一周分の運賃で山手線に乗るのもお薦めです（笑）。エアコンが利《き》いている快適なところで、グルッと一回り一時間ですから読書がはかどる。トイレに行きたくなったら、どこかで降りればいいし、腹がすいたら駅の立ち食いそばもある。同じ切符で二周目以降は不正乗車になるので注意が必要ですが。

佐藤　多少ノイズもあったほうが集中できますね。喫茶店のほうが勉強がはかどるのも、それです。

ヒント17 教えるプロにお金を払って勉強する。これは基本的に、どんな学習でも最も効率がいい

佐藤 元を取らなきゃならないという心理は、カルチャースクールや家庭教師にも通じるものがあります。

たとえば、絶対に外国語が身につかない勉強法があって、友人の外国人に日本語を教えてやる代わりに、その外国人から当該外国語を教えてもらうという方法です。このやり方で身についた人を、私は一人も見たことがありません。

池上 一見、いいように思えるんですけどね。

佐藤 なぜダメかというと、まずお互いに教えるプロではないから、だいたいいい結果にはなりません。水泳なんかと一緒で、**悪い型を早く覚えるとそれが抜けなくなる**ので、その矯正には時間がかかって語学の習得は結果的に遅れます。

池上　そうか、教えるプロじゃない上に、友だち関係の馴れ合いで、しかも無料だから緊張感がない。いちばん身につかないパターンなんですね。

佐藤　**教えるプロにお金を払って勉強する。これは基本的に、どんな学習でも最も効率が良くて、結果的にコスパが高いのです。**

外務省でロシア語の研修指導官をやっていてよくわかったんですが、いちばん伸びないのは大学で第二外国語か第三外国語でロシア語をやった人たちでした。中途半端なロシア語の知識があるから、あ、この辺はわかるわと飛ばしちゃって、注意力が散漫になる。

いちばんできるのはもちろん外語大学でロシア語を専門にやって、外務省にロシア語で受験して入省した人たちで、その次にできるのはゼロからはじめる人たちでした。

ヒント18　カルチャースクールは看板をちゃんとした人がやっているものは、内容も値段に比例する。自分の中で何が必要かを絞る

池上　私の場合、NHKを54歳で辞めて、社会人向けの大学の講座に通ったことがあり

ます。

佐藤 池上さんが学生の席にいたら、教える方は緊張したでしょうね。

池上 とりあえずヒマだったので、もう一度勉強し直そうと思って、拓殖大学の社会人を対象にした夜間授業で「アジア学」というのを受講しました。講義は国別に十何回ありまして、中国、韓国、フィリピンとか、それぞれの専門の先生が出てくる。

佐藤 思いっきりバイアスがありそうですね。

池上 もちろん、拓大ですからバイアスはあります。逆に拓大だから、戦前の日本の植民地主義の方針とか、アジアについては詳しい先生が多かった。

学生は定年退職したおじさん、おばさんばっかりで、終わると先生は質問攻めにあう。だけど、昼間、学生から質問を受けることなんかないでしょうから、先生は嬉しそうに全部の質問に答えてくれるわけです。

佐藤 私も拓大の客員講師で年に二回教えていたことがあります。教室を静かにさせるのがうまいので、私は非常に評判が良かった。だいたい教室に四百人から五百人いて、ザワザワして授業が成立しない状況にあるでしょ。で、どうするか。

「は〜い、みんな、ご飯を食べてもいいし、チューインガムを嚙《か》んでもいいんだが、しかし、隣の人と話をしてはいけないんだよ。どうしてかわかるかな、はい、きみ」とか聞くと、「よくわかりません」とか答える。

それで、「これはどういうことかと言うと、学校には先生の話を聞きに来ているんだな。愚行権と言って、われわれにも愚かなことをする権利があるから、教室でご飯を食べたり、ヘッドフォンで音楽を聴いてもいいんだよ。これは愚かなことなんだけど、僕はそれを止めない。ただね、一つだけ排除されることがある。他者危害排除の原則というのがあって、お喋りをしていると、周りの人に危害を加えていることになるんだ。それは人間として非常にカッコ悪いことなんだ。きみたち、そういう人間になりたいのかな」と言うと、ピタ一ッと静かになる。

池上 それはいい方法ですね。

佐藤 あと拓大は九十分授業だから、授業は六十分にして、残りの三十分でレポートを書かせる。必ずシンプルメッセージにして、「今日は他者危害排除の原則について勉強したよね。それについて書いて」とかね。

池上 九十分の集中力がないので、三十分でレポートを書かせて、出席を取るのに替える先生は多いですよ。

それから、私は某大学にある社会人向けの講座で、「外国為替の現場」というのも取りました。元商社マンが担当するんですが、その講師は教え方がヘタで、聞いてられなかったですけどね。先生を反面教師にして、ここはどう説明すればいいんだろうかと思いながら、毎回出ていました。だけど、講義を取ると、その大学の図書館にタダで入れるんです。

もう一つ受講したのは、慶應大学が丸の内シティキャンパス（慶應MCC）というのをやっているでしょう。

佐藤 大学ではなくて、株式会社慶應学術事業会の事業の方ですね。

池上 そうです。三菱ビルの中にある。私は大学時代にマルクス経済学をやったので、いまの金融の現場がどうなっているのか知りたくて、「金融論」を取りました。五回か六回のコースで十何万円ですから、高かったですよ。でも、高いだけのことはありました。

佐藤 私もそこで何回か講師をやりました。事務局から言われたのは、来ている人たちのレベルは相当に高い。だから、外交の話を外務省の中のレクチャーでやるレベルでやって下さい、ついてきますからと。それは確かにそうでした。

その種の講座は、ほかに中谷巌（※経済学者、一橋大学名誉教授。１９４２年〜）さんがやっている「不識塾」、松岡正剛（※著述家、編集工学研究所所長。１９４４年〜）さんが企業と組んで時どきやる「連塾」などがあります。値段はかなり高いけれども、内容はしっかりしています。

法外な値段の昼食会セミナーとか、自己啓発セミナー系だけに注意すれば、看板をちゃんとした人がやっているものは、内容も値段に比例します。あと、長く続いているところは、たいてい大丈夫です。内容がスカスカでは、講座自体が持続しませんから。

池上 私が取った慶應MCCの「金融論」では、エクセルを使った金利計算とか、イールドカーブ（※利回り曲線）とか、ライボー（※LIBOR＝ロンドン市中銀行間取引金利）の決まり方とかを教わって、すごくためになりました。

要するに私が取った講義は、拓大ではアジア情勢についてのおさらい、某大学は実務家による為替市場での実践的なやり取りの勉強、慶應は経済学の中でも学生時代にやっていなかったことの勉強でした。つまり、復習、応用、補習ですね。**学ぶ側も、漫然とじゃなくて自分の中で何が必要かを絞っていくことが大事です**。

大学で、学生向けの本来の授業の中に、社会人聴講生枠を設けているところがありますでしょ。

佐藤 それは利用価値が高い場合がありますね。

池上　私が授業を持っている愛知学院大学の名古屋市内のキャンパスでは、社会人の枠が必ず十人分あります。質問するのは社会人ばかりですから、学生にとっては相当な刺激になります。場所が名古屋ですから、十人中半分ぐらいはトヨタ系の会社をリタイアした人たちなので、日本の戦後経済の発展の話をした場合なんかは、「トヨタはどうでしたか？」みたいなことを聞くと、話してくれたりしていいですよ。

佐藤　気をつけなければいけないのは、大学の講義をネットで選べるようなものに対してです。自分でコースなどを選べるんですが、サイバーカスケードと同じことになる可能性がある。

池上　サイバーカスケード、つまり、ある考えや思想を同じくする人々がネット上で結びついた結果、異なる意見を排除する閉鎖的なコミュニティを作ってしまう恐れがあるということですね。

佐藤　そうです。特定の分野のところだけを拾っていくから、体系知にならずに、ゆがんでしまう可能性があるわけです。

池上　つまみ食いで終わってしまって、身にならない可能性もありますね。

佐藤　私、いま、ちょっとサボっちゃっているんですが、でもまだやめないで通っているのは、公文《くもん》の国語と数学。公文の数学はまだKまでしか行ってないけど、結構大変なんですよ。

池上　Kって何ですか?

佐藤　高校一年ぐらいがJで、一年から二年ぐらいがKです。だけど、公文は独自にカリキュラムを組み立てているから、高次関数とか大学レベルが入ってきたりします。国語は中学生用をやっているんだけれども、よく間違いをチェックした赤字だらけでプリントを返されたりしますね。

池上　公文って、教室に通うんですか?

佐藤　通うんです。

池上　えーっ、それこそ、先生、嫌がるだろうな。とんでもない道場破りが来たよって(笑)。

ヒント19 語学には終点がないから、どこまでやめるのか終わりを決めておく。最低限の踊り場、英検の準一級ぐらいまでは頑張る

佐藤 **公文の教材は非常によくできているので、とてもプラスになります**。それからロシア語と琉球語とチェコ語を勉強しています。

池上 すごいなあ。佐藤さんは語学のプロですから、その話は後にうかがうとして、人が語学で陥りやすい基礎篇の失敗あたりから入りますか。

佐藤 ずばり言ってしまいますと、英語のようにカリキュラムが体系としてすごく整っているものは別にして、それ以外の言語で、**教養のための語学とか、観光のために使えるような語学は、時間の無駄になってしまう可能性が高い**です。

池上 すぐに抜けていってしまうからですね。

佐藤 教養のためのフランス語とか言って、モノになった人は一人も見たことがないからやめたほうがいいと思う。

池上　知的なフランス語会話を楽しみたいというのはダメでしょうね。それよりは、フランス語のメニューが読めるようになるフランス語とか、フランス女性を口説けるフランス語というほうがマシです（笑）。ほんとに口説けるかどうかは別にして、メニューが読めるようになるのはちょっと先のレベルでしょ。これはインセンティブとしてはあり得ますね。

語学習得にはコストがかかりますから、ちょっと齧るだけなら、お金を浪費するだけで終わってしまうリスクが高い。はじめにレベルを設定しておくことが大切ですね。問題は、語学には終点がないことです。

佐藤　そうなんです。大事なのは、**語学には終点がないから、どこまででやめるのか終わりを決めておくこと**です。たとえば**最低限の踊り場は、英検の準一級ぐらい**。それに相当するドイツ語でもロシア語でもいいですが、そのレベルになると踊り場から落ちることはありません。しかし、**英検の二級とか大学入試ぐらいのレベルだと、ほったらかしにしておくとすぐに中学生レベルまで落ちます**。

池上　ＡＩ（人工知能）の翻訳技術も発達してきていますね。

佐藤　言い換えますと、ＡＩによる翻訳を超えられるレベル、つまり英語でいえば準一級以上まで持っていくのは、意外と大変なんです。ただし、大学入試レベルの英語ぐらいのパッシブな能力、つまり文章を読める能力は、少し勉強すればそこまで行くのは難しいことではありません。その程度の力があればＡＩの翻訳を読んでおかしいことには気付けます。それよりも上のアクティブに話せて、書けて、聞けるという能力まで引き上げるのは、相当に大変だということを言いたいんですね。しかも、継続を少しでも怠ったら、すぐに落ちてしまう。

でも、これは考えてみたら、日本が大国で、英語を知らなくても国内だけのビジネスならば支障なく生きていけるからです。もしもっと小国であれば、ビジネスでも学術研究でも英語をマスターせざるを得ません。

池上　私もそう思います。じゃあ、佐藤さんのプロレベルの語学学習の話をお願いします。

佐藤　ロシア語は、バウマン記念モスクワ国立工科大学といって、ソ連時代にはわれわれがアクセスできなかった、ミサイルとか核の開発をやっている非常にレベルの高い大学があるのですが、そこの卒業生に教えてもらっています。曙橋のエルアイジーという語学学校で紹介してもらいました。

池上　一対一ですか。

佐藤　そうです。毎回宿題があって、社説ぐらいの長さの記事を丸々一本覚えて、ひと言も間違えずに復元する。次に、ロシアのテレビのニュースとか解説番組を見て、その場で口頭で訳していって、最後は日本語の日経新聞か産経新聞をロシア語に訳して、それを直してもらう。二時間のレッスンですが、もうクッタクタになりますね。だいたい予習で二十時間ぐらいかかります。

池上　しかし、勤勉だなあ。よくそんな時間がありますね。

佐藤　だから月に一回ぐらいです。それでロシア語をキープアップするようにしています。

琉球語は、外国人用の日本語教科書『げんき』というのがありまして、それを全部、琉球語に訳していく。それと、元沖縄県知事の大田昌秀さんと私の対談集『沖縄は未来をどう生きるか』（岩波書店）を、端から琉球語に訳しています。最初の先生は半田一郎さんといって、十何カ国語ができて琉球語辞典を作っているような人でした。交通事故でお亡くなりになったので、私が最後の教え子です。

そのあとしばらく先生がいなかったんですが、四谷のディラ国際語学アカデミーという語学学校が探してきてくれて、法政大学のマルクス経済学者で沖縄文化研究所長を務めていた屋嘉宗彦先生が定年退職されるというので、口説いてもらいました。

池上 琉球語も一対一ですか。

佐藤 そうです。チェコ語も一対一で、一人はチェコ語の小説や神学書を訳している日本人の先生、もう一人は東京外大のチェコ人の先生です。**語学の習得は基本的に一対一になります。**

四谷のディラは、かなり良心的な値段設定で、だいたい一時間で一万円です。二時間単位で二万円。高いですが、パチンコやキャバクラで使うよりはマシでしょう(笑)。ディラは五十五カ国語のコースを持っていて、東京外大よりもレベルが高い。曙橋のエルアイジーは、英語、ドイツ語、フランス語、スペイン語、ロシア語などのコースがあります。

結局、語学教室は、そこの主宰者が語学の構造をどれぐらいわかっていて、どれぐらい教えるのがうまい人たちの人脈を持っているかなんです。これは逆に言うと、大学の語学教育がボロボロだからこそ、こういうところが商売になっているわけです。

池上 値段はどちらも一時間一万円ですか。

佐藤 エルアイジーはその半分以下です。すると、基礎段階で百五十時間、中級段階で三百時間ぐらい要るから、合わせて四百五十時間。ざっくり言って、**二百二十五万～四百五十万円ぐらいは、語学を習得して踊り場に上がるまでには必要だ**ということです。

池上　そこまで行けば、完全に〝使える語学〟のレベルになっているわけですね。まあ、一般の人はそこまでの必要性はないことがほとんどかもしれません。

佐藤　ついでに特殊言語として、古典語のことを言っておくと、私の学生時代には、京都にアテネ・フランセがあって、ギリシャ語とラテン語を開講していました。だけど、現在は開講していません。京都と大阪のアンスティチュ・フランセ関西でも古典語は開講していない。

すると、大学以外でギリシャ語とラテン語を勉強しようと思ったら、東京のアテネ・フランセしかないわけです。

池上　そういう意味では、東京に一極集中なんですね。

佐藤　東京なら、ノルウェー語もフィンランド語も琉球語も、何でもできちゃう。東京在住ではない人がそれを習うには、東京まで通うか、ホテル住まいでもするしかないわけで、相当にお金に余裕がないと、特殊言語は学べないのが現実です。

池上　いま流行のインターネットによる語学学習はどうですか？

佐藤　**ネットでの学習は入り口のところを直《じか》にマンツーマンでやって、信頼関係ができた先生とネットでやる分にはいいんだけれど、**入り口からネットというのはダメですね。皮膚感覚のところがぜんぜん違います。

池上さんとでも、実際に何度も会っているから、また会いたいという気持ちが強くなるわけです。パソコンの画面だけで知っているとか、ましてやテキストの上だけで知っているのと、本人を知っているのとでは距離感がまるで違います。

だから、**リアルな人間関係で学んでいかなければならないことは、それなりの時間とコストがかかります。**

ヒント20　**学校には節目があるから、師を替えることができる。先生の部屋のドアをノックする権利は生徒の側にある**

池上　自分が教えを受けた師匠の話をしますと、私の場合は、大学のゼミの教授で北原勇さんという教授がマル経の先生で、「**とにかくすべてを疑え**」と話していました。マルクスもそんなことを言っているわけです。要するに、テキスト・クリティーク（※原典批判、史料批判）というやつで、どんなテキストであっても疑ってかかれという意味です。このことはずっと頭の中に入っているから、いま授業をしている東京工業大学でも、学生たちには同じような話をしました。

どういうことかと言いますと、高校までは授業の内容は文科省の検定教科書に基づいているから、これは信じていいと。大学になると、文科省の検定もないし、それぞれの先生が独自の学説を言うので間違っている可能性がある。それも含めて学べるというスリルとサスペンス、それが大学の醍醐味ですと話した。そうしたら、学生たちがいろんな先生たちに食ってかかるようになったらしく、先生たちから苦情が出ました（笑）。

佐藤　ウチの同志社大学の神学部の学生に、それはやれないですね。「先生、それはラッセル（※バートランド・ラッセル。イギリスの哲学者・論理学者・数学者。1872～1970年）のパラドックスですね」と言われて終わるからです。つまり、「すべてを疑えということは、そう言っているあなたを疑えということだから、これは真偽が決定できない自己言及命題です。初回から、あなたはナンセンスな話を私たちにするんですか」と言われてしまいます。

これは古い命題で、『『クレタ人はみんな嘘つきだ』とクレタ人が言った」というのと同じです。でも、池上さんの言うことを、学生たちは疑わなかったわけです（笑）。

池上 東工大ですから、滅茶苦茶に真面目なんです。

佐藤 神学部の学生はひねくれているからダメですね（笑）。私は先生にはかなり恵まれていました。けっこうクセのある性格の先生でも、自分が必要と思う先生の懐に入る才能はあったのでしょう。

池上 佐藤さんは『先生と私』（幻冬舎文庫）という本まで出していますからね。

佐藤 必要なものをだいたい全部吸収して、はい、次に行くということをずっとやってきました。その点において、焼畑農業的です（笑）。**一分野で一度自分がついた師匠は替えるなというのが私の信条なのですが、学校には節目があるから、師を替えることができる**わけです。実は、学校の良さというのは、そこなんです。

池上 会社ではそうはいきません。

佐藤 そうです。学校と会社のいちばん大きな違いは、会社は上司を選べないことです。逆に言うと、上司は部下を選ぶことができる。

それに対して、学びの場では、特殊な場所を除けば、教師は生徒を選べません。生徒は教師を選ぶことができますけどね。だから、師弟関係というのは、比較的、生徒のイニシアチブで築けます。**先生の部屋のドアをノックする権利は生徒の側にある。**基本的には社会に出たら、上司の部屋のドアをノックする権利はないものです。

池上　私が学生時代にいた慶應大学で、一つ、これだけはいいなと思ったのは、「先生」は福澤諭吉だけで、あとは全部、「君」なんです。だから、休講があると、「何々君、休講」と知らされる。われわれも面と向かえば先生と言いますが、陰ではゼミの先生のことを「君」で呼んでいました。

これはいいシステムで、先生だろうが何だろうが、みんな結局、一緒に学ぶんだよね、みたいな空気がある。先生が一人だけというのは、機能しているかどうかは別にして、考え方としては民主的ですね。

ヒント21　**健全な常識でもって、権威に対しても常に疑う。一カ所で鍛えられた土地勘を持っていれば、他の場所に行っても、怪しいことに気付く**

佐藤 さきほどの「すべてを疑え」じゃないけれども、ノーベル賞なんてものも疑ってかかったほうがいい。科学のほうは、明らかにおかしなものが賞を取っていることがありますよ。本当に実用性があるのかどうかははなはだ疑問なものとかがありますよ。

池上 いや、ノーベル経済学賞だって、おかしいですよ。ノーベル経済学賞はそもそもスウェーデン国立銀行が作ったもので、正式名称はノーベル経済学賞じゃなくて、「アルフレッド・ノーベル記念経済学スウェーデン国立銀行賞」もしくは「アルフレッド・ノーベル記念スウェーデン国立銀行経済学賞」です。ノーベル家の一族は、この賞をずっと批判していて、廃止と改名を繰り返し訴えているんです。賞金だって出しているのはノーベル財団じゃなくて、スウェーデン国立銀行ですからね。

賞を取った人たちのその後の話を見れば、惨憺《さんたん》たる有り様でしょ。リーマンショックを引き起こす原因になったり、投資会社を破綻させたり、とんでもない学者もいるわけです。

佐藤 30代や40代で一定のある分野で仕事をしていたら、世の中の判断基準と自分たちの専門分野の判断基準が乖離《かいり》していることはわかるはずです。世の中をひねくれて見るわけじゃないけれども、**健全な常識でもって、権威に対しても常に疑う姿勢は重要になってきます。**

池上　本来なら、その懐疑というものは、ある程度の経験を積んだ中高年なら得意なはずのものですね。

佐藤　だから、経験知に関する部分や、「あれ?」と感じるような部分は、人生経験と相関関係にあるはずです。よっぽどぼんやり生きていなければの話ですが。

池上　人生経験を積んできたからこそ、見えるもの、判断できるものはいっぱいあるわけで、それを有効に活用したいですね。

佐藤　そうです。**一カ所で鍛えられた土地勘を持っていれば、他の場所に行っても、怪しいなということは気付く**はずです。

たとえば、日産のカルロス・ゴーン氏の事件は鈴木宗男事件との類似性があるんです。橋本行革の際に、大使の数や局の数が減らされるところを、外務省は鈴木さんに頼んで守ってもらった。そのときは、鈴木さんもそんなに影響力はなかったんです。その後で、田中眞紀子というすごいのが外務省に大臣としてやって来て、あり得ないような失態を次々と繰り広げたでしょ。官僚はもう自分たちの力で追い出せないから、鈴木さんに頼って追い出してもらった。すると、外務省内は鈴木さんの天下になっちゃう。またしても自分たちの力じゃ鈴木さんを追い出せないから、今度は検察の力を借りて掃除してもらった。

池上 まあ、そういう構図ですよね。

佐藤 じゃあ、日産の場合はどうかと言うと、技術屋の力は強いけど、潰れかけた自動車会社があった。自分たちではどうしようもない、倒産だというときに、フランスのルノーにカネを出してもらって、やり手のコストカッターがやってきた。彼がいなければ立て直しはできなかった。

池上 潰れていたでしょうね。

佐藤 そこでものすごいコストカットをして、会社は生き残った。で、力を盛り返したら、あいつはもう要らねえ。自分たちの力じゃできないから、検察に頼んで掃除してもらった。そっくりですよね、二つの図式は。

池上 ウリ二つです。

佐藤 私には鈴木事件の土地勘があるから、ゴーン事件は、最初からいや〜な感じがしたんです。

池上 典型的な国策捜査ですよ。国策捜査の場合は、検察にも弱みがあるから、世論を盛り上げて味方につけるために、新聞にリークする。ゴーン事件では、朝日新聞が東京地検ベッタリになって、書きたてた。佐藤さんのときと二重写しに、私には見えました。羽田空港で最初にゴーン氏の身柄を確保するところの映像まで撮っているわけですから。

佐藤　ああいうのは記者の感覚としては、恥ずかしいと思わなきゃいけない。記事も関係筋の連発ですしね。

池上　関係者、関係者になった。だから私も朝日新聞のコラム「新聞ななめ読み」で、「関係者」と書き過ぎだと指摘したんです。どっちの関係者なんだと。日産なのか、検察なのか、安易に使うなって。

佐藤　その通りです。もっとも、検察関係者と書いた瞬間、氏名不詳の国家公務員法違反事案として、刑事告発されますからね。これは国家公務員が情報漏洩をしているから調べてくれと、地検特捜部に持っていかなきゃならない話じゃないですか。民主主義の根幹が危うくなっていることに気付くべきです。

池上　まったくその通りです。

佐藤　ゴーン氏が悪いヤツなのか、いいヤツなのか、それとは関係がない。民主主義というのは手続きですから、そこが崩れたら、国そのものがおかしくなってしまいます。

私は昨年、ゴーン氏はヨットでも使って国外逃亡をする手もあるんじゃないかと言っていたのですが、実際、プライベートジェット機を使ってその通りになってしまいました。

池上 あの脱出劇には、ほんとに、びっくりしましたよ。

ヒント22 45歳を回ったら新しいことは頭に入らないのが普通。最初から自分の頭はバケツではなくてザルなんだと自覚すること

佐藤 中高年の記憶力の鍛え方ですが、私は45歳以前と以降に分けてアドバイスしています。というのは、**45歳を回ったら新しいことは頭に入らないのが普通**だからです。

池上 ザルで水を掬《すく》うようなものなんですが、ザルでも少しは掬えます。ずっとやり続けていけばちょっとは溜まるので、**最初から自分の頭はバケツではなくてザルなんだと自覚することが大事です**。いちばん良くないのは、ザルで水を掬うことを諦めちゃうことだろうと思いますね。

佐藤 記憶力に関してひとつ個人的なエピソードを話しておきます。
東京拘置所に入ったときに、火曜日に捕まったんですが、弁護士からのノートの差し入れは二日後なんです。ボールペンの購入の申し込みが金曜日で、それが届くのがその翌週

の水曜日なんです。だから事実上、ノートには何も書けない。で、最初の数日間、ものすごい勢いの取り調べがあるの。取り調べられたことと質問を、全部、記憶して、反芻《はんすう》していくという訓練をしたんです。

それで弁護士の接見が毎日三十分間でしょ。その接見の間に、五、六時間の取り調べで受けた検事の質問を、とにかく順番に弁護士にダーッと全部、言う。そうすると、向こうが何を考えているかがわかる。で、こんなことをしていたら、記憶力が急に良くなりました。

池上　そうか。佐藤さんの記憶力の鍛錬は、東京地検特捜部の取り調べによるものだったんだ。

佐藤　ボールペンが入って来ない八日間のことなんです。ボールペンが届いてからは、記憶力は急速に衰えました。

池上　わかる気がする。全部、書いちゃうから、安心しちゃうんですね。

佐藤　だから、それに気付いて、インデックス方式にして、ノートに全部を書かないようにした。みなさんにお薦めなのは、**一週間や十日間、とにかく非常に緊張した状態で、自分の記憶力しか頼りにならないような時間を持つと、潜在能力が研ぎ澄まされます。**

池上　実行するのはなかなか難しいですけどね。

■フランス人記者が戦慄した東京拘置所の検査

佐藤 ついでに、東京拘置所の話をしておきますと、カルロス・ゴーン氏のことで、フランスのフィガロ紙の支局長が取材に来まして、拘置所がどんなところかが知りたいって言うんです。で、彼がいちばん腰を抜かしたのが入所のときの検査。実は、刺青《いれずみ》、指詰め、玉入れという検査がある。刺青を彫ってないか、その次、指を詰めてないか、最後に玉入れってわからないだろうから説明した。

池上 はあー、ビックリしただろうね。上品な読者のために説明しておきますと、ヤクザは拘置所や刑務所に入っているときに、出所したあとで女を喜ばせようとして、ハブラシを削って玉にしたものをペニスに入れることがあるんです。

佐藤 フィガロ紙の支局長は、そんな検査が行われているのかと啞然としていました。もっと驚いたのが、お風呂に行くときにパンツ一枚で、タオルと石鹼だけを持たせて二〇メートルぐらい歩かせる。これもすごい衝撃で、なんでそんな屈辱を与えなきゃいけないんだと。いや、希望すれば、シャツを一枚着ることができると言ったら、両手を広げて、「ますますひどい」と。

池上　でしょうね。

佐藤　それから、靴を履けないから、サンダルを履かすでしょ。あれ、水虫菌が山ほど付いている。だから、みんな、東京拘置所では水虫で苦しむ。フランス人にとっては生理的な嫌悪につながるようで、とうてい考えられないと。

池上　衝撃だったでしょうね。

佐藤　すごく驚いていましたよ。ゴーンは2005年ぐらいから急に威張り出して、フランス人コミュニティでも人気がなかったんだそうです。しかし、そんな扱いを受けていたのだとしたら、それとは別だと。日本にいる全外国人の問題だと。

この国で捕まったら、そんなペニスの改造の検査、パンツ一枚で二〇メートル歩かされるとか、しまいには水虫菌でしょ（笑）。そんなのは戦慄《せんりつ》でしかなくて、とてもまともな国とは思えないと。われわれの知らないもう一つの日本を知った。こんな恐ろしいことが、他人事じゃなくて、オレたちにも降りかかってくるかもしれないと。

池上　これは東京拘置所の待遇改善に大きく寄与しそうですな。

佐藤　いや、だから、日本人は意外と気がつかないと思うんです。

池上　水虫菌とか、ある種の細菌兵器を使っているようなもんでしょ。

佐藤 だから、細菌の付いたサンダルを履けというのは、明確な拷問じゃないかと。言われてみれば、そんな気もしますよね。それから、風呂に行くのにパンツ一枚にする必然性はないし、指を詰めてねえかって、聞く必要もないわけ。

池上 だって、見りゃわかる。

佐藤 それから、玉が増えたり減ったりしていると違反行為だから、玉の数を記録するんですよ。しかし、ペニスの改造をしてようが、していまいが、個人の勝手な話だと。

池上 たしかに、その通りです。そんな検査をするのは、世界中で日本だけでしょうね（笑）。

ヒント23 大量のものを強制的に覚えこんで記憶力を上げる

佐藤 閑話休題（笑）。

池上 貴重な経験談でした（笑）。

佐藤　私が同志社の学生に実際にやらせていることがあるんですが、五百字ぐらいのこと、たとえば「使徒信条」などを覚えさせて、復元させる。段階を徐々に上げて、最後は二千〜三千字ぐらいのものを丸暗記させて、全部復唱させてから書かせる。

キリスト教は古来より文書が多いですから、たとえばカルケドン公会議（※４５１年、小アジアのビティニアの都市カルケドンで行われたキリスト教の公会議）で定められた「カルケドン信条」というのがある。これがだいたい五百字ぐらいです。さらに5〜6世紀頃にできた「アタナシウス信条」があります。これは千二百字くらいになる。覚えるのは相当に大変なんですが、非常に記憶力がつきます。ほかの信条と合わせて、全部で二千五百字くらい覚えなくてはならない。

池上　二千五百字はかなりすごい。

佐藤　それから、最近、『ＫＧＢスパイ式記憶術』（デニス・ブーキン／カミール・グー

『KGB スパイ式記憶術』

リーイェヴ著、水王舎）というおもしろい本が出ました。

池上 世界的なベストセラーですね。

佐藤 KGBにスカウトされた諜報部員が、ナチス・ドイツの実験研究に関する機密文書を奪還するというストーリーで、そこにスパイ養成の演習が次々と出てきます。マッチ棒を使った記憶術とか、数字の覚え方とか、地図の覚え方とか、いろいろあります。演習が四十七問、脳のトレーニングも四十七問出てきます。これは実際にKGBのアカデミーやイスラエルのモサドが使っているものと同じ教材ですね。自衛隊の情報部隊の人たちに薦めているんですけど、これをやると確実に記憶力が良くなります。受験生の暗記術としても非常にいいと思います。

池上 スパイ式だから、間違いない。

佐藤 さっきの二千五百字もそうですが、**大量のものを強制的に覚えこむと記憶力が上がる**ような気がします。お医者さんも記憶力がいいでしょ。これは私の仮説なんだけれども、医学部の学生のときに、神経と骨の名前を全部、日本語と英語とラテン語で覚えさせられるでしょ。ものすごい数なんですが、これと記憶力が関係しているように思いますね。

ヒント24 読書の間に眠くなったり読めなくなったりしたら、腹式呼吸で音読してみる。本が読めなくなったら、オーディオブックなどを併用する

池上 本を読むときに、たとえば**読書の間に眠くなったり、読めなくなったりしたら、音読してみることです。**それもただ音読するんじゃなくて、**背筋を伸ばして腹式呼吸で声を出す練習をすると、**弦楽器と同じで体全体で音が出ていいんですよ。

私の場合、テレビの収録は二時間番組ならば、毎週のように立ったままで四時間しゃべり通しなわけです。これは一種の健康法なんだと思うようにしています。

佐藤 音読は重要ですね。とくに日本語の場合は、漢字を目で追うだけで何となくわかった気になってしまう。

池上 実は自分の書いた本で、『伝える力』がゲラになった段階のときに、全文を声に出して読んでみたんです。正月三が日を費やして、ずっと読み続けてみました。すると、ちょっと躓《つまず》いたり、言いよどんだりする箇所がある。自分で書いた文章なのに、引っ掛か

る。あ、ここはリズムが悪いなと気付くわけです。声に出して読んでスムーズになるように、相当直しました。

佐藤 本を**音読するのなら、それをスマートフォンかＩＣレコーダーに吹き込んでおく**のも一つの手です。自分自身で手製のオーディオブックを作ってしまう。

池上 それは賢いやり方ですね。

佐藤 私は学生のときにマルクス経済学しかやってなかったでしょ。外務省の試験は近代経済学なんですが、勉強する十分な時間がなかった。で、どうしたかと言うと、当時、標準的な教科書だった新開陽一の『近代経済学――経済分析の基礎理論』（有斐閣大学双書）を全部、カセットテープに吹き込みました。音読で通読して、その次にヘッドフォンで聞きながら読んでいく。気恥ずかしい感じだけれども、それを二回やったら、頭にカチッと入りました。受験勉強でも、その効用はかなりあると思う。

だから、**本が読めなくなったら、オーディオブックなどを併用するといい**ですよ。結構、ビジネス書もあります。なぜ日本で普及しないのか不思議ですね。

池上 アメリカなんかは、一般教書演説をみんな聞くでしょ。あれはやっぱり音の文化ですよ。

佐藤　表音文字であることと関係があるんでしょうね。教会の説教も長いけれども、みんな聞くでしょう。イギリスに行けば、ハイドパークで、誰かが演説している。

池上　今でもね。

佐藤　ロシアだったら広場で詩を読んでいるのがいるし、その辺は文化なんですね。

池上　日本で音の文化は、落語や講談のような伝統芸能以外は消えちゃったんですかね。音の部分を、もっと勉強に使ってもいいはずです。ちなみに、私の本もずいぶんオトバンクに入っています。

ヒント25　アウトプットは重要。誰かに話すことを前提にして、本を読んだり勉強したりする

池上　番組で、ゲストのいろんなタレントさんに、様々な話をしているわけですが、話したことを全部ちゃんと覚えている人と、すっかり右から左に抜けてしまっている人がいます。覚えている人は何が違うかと言うと、**話を聞いておもしろいと思ったら、すぐほか**

の仲間に説明するらしいんです。それによって記憶に定着する。

これは、インプットとアウトプットの関係で、アウトプットの重要性を物語っています。

佐藤　「教えると、覚える」というやつですね。

池上　お笑い芸人の後輩たちを集めて、あたかも自分が前から知っていたかのように、「おまえ、知ってるか？　これはな……」とやる。私の話を聞いたその日のうちか、翌日には必ずやるんだそうです。

佐藤　それはさきほどの『KGBスパイ式記憶術』に、まさにその話が出てきます。要するに、忘却曲線との関係において、情報の大部分は覚えた直後の一時間以内に忘れてしまう。しかし、覚えたことを反復すればするほど記憶に定着させることができる。二十四時間以内に覚えたことを復習することが重要なんだと書いてあります。

池上　たとえば社会人学校でも講座でも何でもいいのですが、**勉強して聞いてきたことを家に帰ったら家族に話してみる**。今日、聞いてきたことはこうなんだと。いや、奥さんが聞いてくれるかどうかは別の問題ですが（笑）。家族がダメだったらイヌやネコに話してもいいんだけれども、すぐにそれを誰かに喋ることが大切です。

私はテレビや大学の授業で話さなければならないから、**アウトプットを前提にして、必**

死になっていろいろ調べると、やっぱり頭に入ります。

佐藤　その通りですね。授業や講演をするときに、未知のテーマに挑むとします。自分がパンクしない範囲だったら、新しいことがどんどん頭に入ってきます。

池上　たとえばいちばん良くないのは、ただ話を聞いておくことです。「へぇ〜、そうなんだ」で終わっちゃうと、全然身につきません。**聞いたり勉強したりしたことをほかの誰かに話してみることによって定着しますし、誰かに話すことを前提にして本を読んだり勉強したりすることも大事**ですね。あっ、これおもしろいじゃないかと。誰かに話したいと思いながら読むと、定着します。ただ漠然と読むと、ぜんぜん頭に入らない。

佐藤　それはすごく重要で、どこの軍隊もそうですけど、命令というのは必ず復唱するでしょ。復唱させて、理解できているかどうかチェックする。情報機関でも、命令は聞きっぱなしではなく、復唱しますね。

ヒント26 知人に話すときは四十秒一本勝負。頭の体操になる

池上 それから話すときには、人からウケたいと思いますよね。そうすると、ウケるツボとか摑みを考えるようになります。私の場合は、「こどもニュース」を十一年間やったわけです。いつも世の中のややこしい、めんどうくさい話を、小学生にわかるようにするためにはどうしたらいいかという問題意識をもって、いろんな専門書を読んだものだから定着しました。

佐藤 その辺の技法は、講談師から学ぶところが多いです。真打クラスの講談師ともなると、その日の高座で、プログラムがどういう流れになっていて、前の演目が何で次にどんな演者が出るのかというところまで全部考えた上で、あるいは、今日はどんなお客さんが多いのかを見た上で、講談の演目を決めますからね。

池上 言わば、場の空気を読む語りのテクニックですな。この摑みというのは実はとて

も大事で、何をやればウケるかと思いをめぐらすのは、本や文章のいちばん大事な肝《きも》の部分は何かを無意識のうちに探すことに通じるわけです。

雑誌記事には、冒頭にリードという数行の要旨が書いてありますね。人に長い話を延々とはできないから、雑誌と同じ方式で、「おい、知ってるか。こんな話があるんだぜ」と数行のリードにするためには、その本の内容の全体を要約していなければなりません。**リードと摑みを見つけ出すと、その文章なり論文なりが自分の中に入ります**。

それから、他人に話すときに大事な点がもうひとつあって、長さですね。コンパクトにしないとダメです。

佐藤　尺は重要ですよ。

池上　まあ、四十秒がいいところです。NHKの記者が顔を出してしゃべるレポートは、四十秒以内にしないと長すぎて耐えられない。スタジオの生放送でも討論番組なんかでは、一人のコメンテーターを四十秒間映し出すことはないですから。四十秒の話なら、二十秒で映像が切られて、ほかの顔が出る。だから、**知人に話をするときも、四十秒を心がける**(笑)。**四十秒一本勝負で、すごく頭の体操になります**。

でも四十秒って、相当なことがしゃべれますよ。生放送で最後の時間に一人で話して終わるときに、残り三十秒あれば起承転結がつけられます。二十秒になると、序破急ですね。

佐藤　字数ですと、二百字でまとめる感じですね。ノートに読書感想文を書くのに、ちょうどいいぐらいの字数です。

学生に原稿を作ってプレゼンさせると、上手な人はだいたい一分間で三百字ぐらいで、少しゆっくり話す感じです。三百五十字だとかなり早口になります。NHKはどのぐらいのペースでやっているんですか？

池上　アナウンサーは何文字とか言われているんでしょうけど、私はそういう訓練は何も受けていないので自己流です。ただ、昔に比べると、アナウンサーが原稿を読むスピードはどんどん速くなっていますね。

ヒント27　理解するためにものすごい時間がかかるものは、中高年は捨てなくてはならない

佐藤　勉強するテーマの広げ方については、まず、焦らないことが肝腎です。最近、中

高年の人に勉強の話や教養の話を聞くと、異常に焦っているビジネスパーソンが多いんですが、焦ってみても持続につながりません。

池上　**中高年は、知的な生活を送ることや、第二の人生の生き甲斐ができることに、主眼を置くべき**でしょう。

佐藤　第一章で話した（【ヒント5】）、何を諦めて、何を伸ばすかということにもつながるんですが、**ある分野で何がわかっていて何がわからないかを見る場合に、一回、十時間の勉強をしてみる**ことです。長時間学習です。というのは、三十分、一時間なら、わからないことでもわかったつもりで本は読めてしまう。ところが、十時間になると、わからないところはやはり進まなくなる。ここまではわかるという箇所まで戻ることが、十時間あればできます。

たとえば、英語でも数学でも経済でも国際政治でも、教科書的なものから、いま自分が読みたいものまでを並べて、どこまでわかるか遡《さかのぼ》ってみることです。

池上　政治学を勉強するときでも、普段はわかったつもりになってやり過ごしていたのに、たとえば「民主主義って何なの？　よくわかっていなかった」みたいなことがあるわけですね。

佐藤 何が重要かといいますと、中学の教科書から実用書、専門書ぐらいまでを並べてみるとします。遡っていくプロセスの中で、わからない部分を埋めるにはどれぐらいの時間を要するかがわかるんです。結果として、そのテーマに取り組むべきかどうかも付随してわかる。

池上 いきなり手をつけないのは、賢いやり方ですね。

佐藤 そうなんです。何度も言いますが、時間は希少財ですから、**理解するためにものすごいコストがかかるものは、中高年は捨てなくてはなりません**。

池上 時間がかかりすぎるものは考えた方がいいですね。

佐藤 諦めるものに関しては、一種の縁がなかったと思うことです。

たとえば、上座部《じょうざぶ》（小乗）仏教の仏典を原語で読みたいとしましょう。これはパーリ語で読まなくてはならない。しかし、パーリ語の文法はさっぱりわからない。ベースには古代インドの標準的文章語であるサンスクリット語があって、パーリ語はサンスクリットを少し崩した俗語のようだ。じゃあ、いまからサンスクリット語をはじめるとなると、毎日五時間勉強して五年かかる。だから、パーリ語で仏典を読むという企画は、捨てることになる。

池上　そのために翻訳書があるんですから。

佐藤　**断念することも前進ですから**ね。それから、注意しなければならないのは、とく**に中年以降は、怪しいものには近づかないこと**です。たとえば、投資で成功している話なんて意味がない。投資で成功するという本を書くことによって儲けることを考えて、その本は作られているからです。

池上　よくある詐欺話で、「いい儲け口があるんです」って。じゃあ、人になんか勧めないで、あんたがやればという話です。「いい儲け口がある」と言って売り込むことによって、その人間が儲けているわけです。

佐藤　好奇心の広げ方の話に戻すと、さっき四十秒の話がありましたが、これは耳学問と非常に関係すると思う。耳学問でいちばん情報を取っているのは、天皇ですよね。ご進講というのは、全部、耳学問ですから。宮内庁のホームページの「講書始の儀におけるご進講者及びご進講題目一覧」を見ればわかりますが、ご進講する側は超一級の人材で、正確なことをきちんと口頭で話せる。そういう人たちが伝えるからこそ、耳学問が成立するわけです。

内閣総理大臣とか各閣僚たちも、基本的には耳学問で済ませているんですが、耳学問の話し手がつとまるような人たちがその周辺にいることが前提です。従って、耳学問で情報を得られるポジションの人は、ごく一部であるとも言えます。

池上 耳学問ほど語り手が重要になるものはないですね。

佐藤 だから、**耳学問の語り手になるような人を、知人として一人か二人持っていることは人生にとってもの凄く重要になってくる。**

ヒント28 **映画を見ることによっても相当多くのことが学べる。ちょっと捻った恋愛映画もいい**

池上 好奇心を広げると言ったら、**映画を見ることによっても相当多くのことが学べます。**

佐藤 私は授業にはよく映画を取り入れています。この前も、同志社の学生に旧ユーゴスラビア映画の『ネレトバの戦い』(1969年公開、監督:ヴェリコ・ブライーチ)を見せました。アメリカのユル・ブリンナーとソ連のセルゲイ・ボンダルチュクが共演しています。
舞台は1944年の（現在の）ボスニア・ヘルツェゴビナで、ネレトバの戦いは第二次世界大戦中に実際にあった戦闘です。ドイツ軍、イタリア軍、クロアチアのウスターシ軍、セルビアのチェトニーク軍の混成の枢軸軍十五万が、ユーゴスラビアのパルチザン（人民解放軍）三万を根絶しようとする。クロアチア軍とセルビア軍はお互いに殺し合っていたんですが、間にナチスが入って、パルチザンの総司令官チトー（※ヨーシプ＝ブローズ・チトー。後にユーゴスラビア社会主義連邦共和国大統領。1892〜1980年）をやっつけるという目的で手を組んでいる。
池上　なるほど。
佐藤　パルチザンは逃げ回るんだけれども、ボスニア・ヘルツェゴビナだから、パルチザンの中にムスリムがいるわけです。ここで学生に与えた課題は、ユーゴスラビアの宗教事情を読み解くことです。チトーたちは勝利するんですが、なぜ勝利できたのか。結局、宗教と民族を超えた共産主義イデオロギーがあるから勝てた、というのが結論なんですけどね。
池上　これはエンターテインメント映画なんですか。

佐藤　そうです、しかも国策映画です。ユーゴスラビア国家が全力をあげて作っているので、ものすごい迫力のある映画です。

池上　1969年公開ならば、ユーゴがまだ元気なころですね。

佐藤　隣国で起きた「プラハの春」（※1968年にチェコスロバキアで起きた民主化の動き。ソ連のブレジネフ政権は二十万の軍を投入し、その動きを圧殺した）の翌年です。それから戦後、なぜユーゴスラビアはソ連の言うことを聞かずに、独自路線を取ることができたのか。ユーゴスラビアという国は民族と宗教が複雑に絡み合っているんだけれども、それを超克する共産主義イデオロギーがあったからこそできたわけですね。逆に言うと、共産主義が内包する宗教性を理解するためには、ユーゴスラビアってほんとにいいケーススタディなんです。

池上　ユーゴは1948年にソ連によってコミンフォルム（※第二次世界大戦後のソ連圏における共産主義イデオロギー統一のための国際組織）から追い出されて、ユーゴスラビア共産党ではなくてユーゴスラビア共産主義者同盟になるわけですからね。

佐藤　そうです、1948年の時点では、チトーのユーゴはスターリン（※ヨシフ・スターリン。ソ連共産党最高指導者。1879〜1953年）よりも左の極左でした。

さらに言えば、映画に出てくる民族対立の負の遺産であるところのウスターシ軍は、クロアチアのフラニョ・トゥジマン（※初代クロアチア共和国大統領。1922〜1999年）につながっていき、セルビアのチェトニーク軍はスロボダン・ミロシェヴィッチ（※初代セルビア共和国大統領。1941〜2006年）につながるわけです。現在の旧ユーゴスラビアの紛争の原型がどこにあるのかも、この映画を見て解析させるだけで十分にわかります。

池上　すごいな。それ、学生は理解できますか？

佐藤　できます。優秀な学生がいて、何を読めばいいんですかと聞いてきたので、フランソワ・フェイトの『スターリン時代の東欧』（岩波現代選書）と平凡社の史料集『東欧の動乱』を読んでおきなさいと指導しました。すると、それらを道標にして、ちゃんと解析できていました。

池上　佐藤さんの解説がないと映画の奥ゆきがわからないね。いずれにせよ、日本ではあまり注目されていない国の歴史について、ある程度の学習をするには映画は有効ですね。

佐藤　それから、**恋愛映画もやっぱり重要で、ちょっと捻《ひね》ったやつを見ておかないといけない。**たとえば、『化身』（1986年公開、監督：東陽一）なんかはいいですよ。

池上 原作は渡辺淳一先生ですね。黒木瞳の初ヌードが拝めます。濡れ場が豊富だから、学生には刺激が強すぎるけど。

佐藤 藤竜也扮する文芸評論家が主人公で、ある日、黒木瞳が演じる函館出身でサバの味噌煮が好きだというう銀座のホステスを強引に手に入れるんです。藤と離婚した元奥さん役を三田佳子がやっているんだけど、藤の母親が倒れて入院したときに病室に来るわけね。

で、ベッドに横たわった母親役の淡島千景が、「女手ひとつで大変でしたね。出来の悪い亭主を持ったばっかりに」と言うと、三田が「とんでもない。とても素敵な男性ですわ。でも、夫として素敵であったかど

『東欧の動乱』

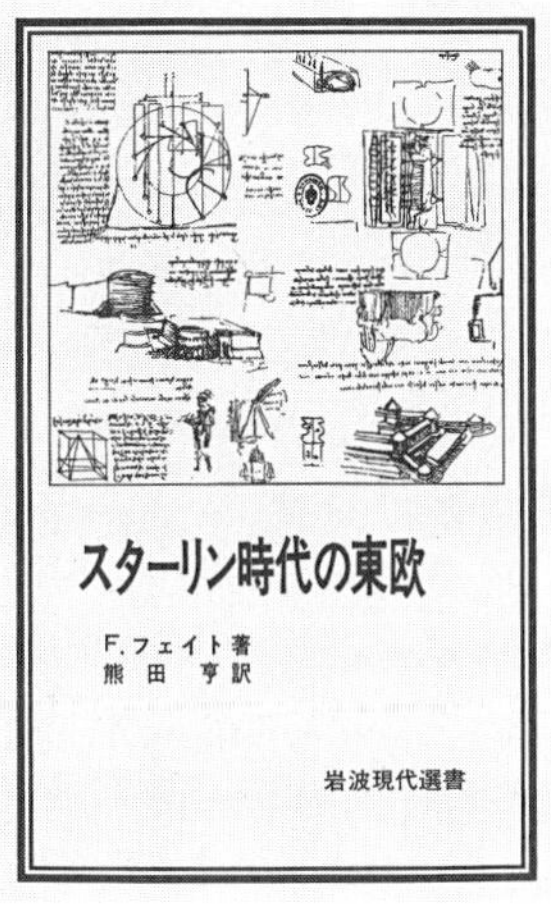

『スターリン時代の東欧』

うか、これはもう少し考えないとね」なんて答える。

その後、病室から帰る道すがら、三田が藤に言うんですよ。「(付き合っている)今の人、うんと若いの？　やっぱり死ぬまで少年ですか。日が暮れてもまだ家に帰りたくないの？」。それで、藤が「キミのほうは、どうなんだ。日はもう暮れたのかな」と言うと、三田が「私には日暮れもあれば、また別の朝もありますわ」なんてやり取りをする感じです。

池上　ははは、それは学生にはちょっとレベルが高すぎる。

私が最近印象深かったのは、旧東ドイツを舞台にした映画で『僕たちは希望という名の列車に乗った』(2018年公開、監督：ラース・クラウメ)です。ベルリンの壁が作られる前には、墓参りという理由なら、まだ東ベルリンから西ベルリンに入ることができた。それで、東ベルリンの高校生がお祖父ちゃんの墓参りと称して、西ベルリンに行って映画館に入るんです。ニュース映像でハンガリー動乱(※1956年、ブダペストの学生・労働者のデモをきっかけにして起きた約二カ月間の民主化を求めた暴動)の様子を見るんですが、あれ？　東ドイツで聞いている話と違う。これは民主化運動じゃないかと。

東ベルリンに戻ったあと、ハンガリー動乱で死んだ人たちのために、みんなで二分間の黙禱をしようと言って、授業の冒頭で黙禱するんです。校長がそれを自分の保身のために揉み消そうとするけれど、出世欲のある部下が教育委員会に告げ口して大騒ぎになるという話です。ベルリンの壁ができる前は、そこそこ東ベルリンから西ベルリンに行けたんだと知って、これはすごくおもしろかった。

佐藤 当時の東ドイツは文化省の初代大臣がヨハネス・R・ベッヒャー（1891〜1958年）ですよね。彼は東ドイツ文化連盟の初代議長で、文化連盟を東西両ドイツを含む横断組織にしようとしていた。そして第二次大戦中に亡命した学者や芸術家たちを東ドイツに帰国させることに熱心でした。ソ連の公式イデオロギーと合致しないハンガリーの哲学者ジェルジュ・ルカーチ（1885〜1971年）の著作が、東ドイツで公刊できたのもベッヒャーがいたからです。

池上 その後ルカーチは、ハンガリー動乱の主導者の一人になりますね。

佐藤 そうです。またマルクス主義哲学者のエルンスト・ブロッホ（1885〜1977年）も、1948年、亡命先のアメリカから東ドイツに帰国して、1961年、ベルリンの壁の建設を機に西ドイツに移住します。同じくユダヤ人で小説家のアンナ・ゼーガース（1900〜1983年）も諸国を転々と亡命したあとで西ベルリンに戻るんですが、彼女はブロッホとは逆で西から東ベルリンに移ります。
弟のトーマス・マンほど有名じゃないけど作家のハインリヒ・マン（1871～1950年）もアメリカに亡命して、戦後、東ドイツに戻ろうとしたところで客死します。『三文オペラ』で知られる劇作家のベルトルト・ブレヒト（1898～1956年）は東ベルリンに住んでいましたが、東西ベルリンのペンクラブの会長でした。だから、文化に関して東西陣営の垣根は低かった。

池上　われわれは何となくドイツは東西に分割されて、ベルリンの壁がいきなりできたような思い込みがあるけど、実はそこまでの間にいろいろ文化的な往来はあったんですね。やがて、みんながどんどん西に逃げていくので、壁を作らざるを得なくなるんですが、その様子が映画ではけっこうリアルに描かれていました。

佐藤　おもしろいのは、1969年ぐらいまでは、プロテスタント教会だけは東西ドイツで一緒なんです。神学部の学生は東西の両方に移動できました。牧師の人事も、東西の両方にまたがっていました。ドイツのメルケル首相の父親は教会の牧師だったんですが、西から東にやって来て、やがて教会が分裂してしまったせいで、西に帰れなくなった。だから、彼女の出身は西ですが、東の価値観を持っている人でもある。

池上 映画の続きを話すと、東ベルリンで反抗した学生たちが、査問に遭うわけです。こんなことをやっていたら、大学に入るためのアビトゥーア（統一試験）を受けさせない。お前たち、エリートになれないぞ。親父と同じような肉体労働者でいいのかと脅される。みんな悩むんですが、結局は、西に逃げて、西でアビトゥーアを受けるんです。

大学入試の仕組みが、当時は東西ドイツに分かれていても、同じシステムだったんだということがわかったりします。

ヒント29 小説を読むのも映画を見るのも、単に娯楽として見るんじゃなくて、主体的に分析してみる

佐藤 ついでに話しますと、東ドイツについての入口としては小説も役に立ちます。日本では三修社から『現代ドイツ短編集――ドイツ民主共和国の作家たち』というのが出ていて、その中にアンナ・ゼーガースの『決闘』があります。

ゼーガースは、岩波文庫に入っている『第七の十字架（上下）』が有名です。ナチスの

強制収容所から七人の囚人が脱走する。残忍な収容所長は、所内の七本の木にこいつらを磔《はりつけ》にすると宣言して、囚人たちの捜索を始めるという話です。この本の発表は第二次大戦中の1942年ですが、興味深いのは小説でありながらナチズムの教科書としても使えるところです。実際、アメリカ軍はナチズムというものを知るために、この本をポケット版にして、兵士たちに持たせてヨーロッパに送り込んだんです。

池上　確か、第二次大戦中にアメリカで映画化されていますね。

佐藤　そうです。『決闘』はどういう話かと言うと、戦争で教育の機会をなくした労働者のための特別な教育課程で、そこに入った帰還兵の学生がいるんだけれども、担当教授が陰険で、試験を通してくれないわけ。その一方で、東ドイツにあった社会主義統一党（ドイツ共産党の後身）の視察官はこの学生を必死で助けようとする。こいつにちゃんと単位を取らせる、じゃあ、これは決闘だというわけです。

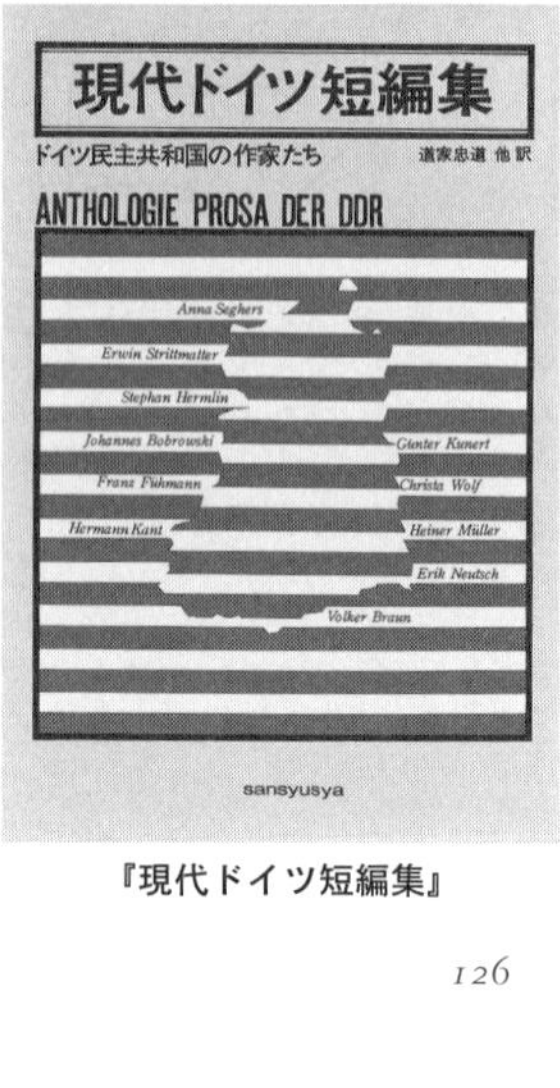

『現代ドイツ短編集』

じつは決闘には二重の構造があって、この陰険な教授は元ナチスシンパで、かつて工科大学に勤めていた若いころの彼（後の視察官）を大学から追い出した張本人でした。しかし、この教授は彼のことを覚えていなかった。視察官と教授だから、いまや立場は逆転しているんです。これは要するに、東ドイツの中には、いかに旧ナチス協力者が多いかを物語ってもいるわけです。国が小さいから、元ナチスを完全にパージすることができない。

池上 元ナチス派を外すと、人材が足りなくなっちゃうからですね。

佐藤 シュテファン・ヘルムリン（１９１５〜１９９７年）という東ドイツの有名な作家がいて、『女司令官』という短編もおもしろい。１９５３年の東ベルリン事件が小説の舞台です。ナチスの司令官だった女が、戦後、刑務所に収監されているんだけれど、自由の戦士だという形で解放される。で、この騒擾《そうじょう》時に広場で演説したらまた逮捕されて、裁判にかけられた挙句に、最後は即日の死刑判決を受けるという話です。

旧ナチスの残党が、東ドイツの中で根強く残っていることが透けて見えるわけです。東ドイツの小説はいろんな意味でおもしろい。

池上 東ドイツって、実に屈折しているんですよ。

佐藤 現在のネオナチがどうして東ドイツから出てくるかというと、反ナチ教育をやっていないからです。実際に、東ドイツには、ナチス党員が結集したドイツ国民民主党（国家民主党：NDPD）がありました。西ドイツは、自分たちは全部克服して、ナチスとは関係ないという体裁を取っています。

池上　戦後、東ドイツでは、ナチズムは独占資本主義に毒されたブルジョワジーがいけなかったんであって、君たちプロレタリアートは被害者なんだということにした。西ドイツのように徹底的な反ナチ教育をしなかった。

佐藤　大戦中のスターリングラードの戦いのときの、第六軍のフリードリヒ・フォン・パウルス元帥はソ連軍に追い込まれるんですが、ヒトラーの命にそむいて自決せずにソ連に投降します。ソ連の捕虜になると、ヒトラーの激しい批判者に転向して、戦後のニュルンベルク裁判ではナチス・ドイツの戦争犯罪を告発する検察側の証人として出廷します。パウルスは東ドイツに戻るんですが、東ドイツ政府は、もう東ドイツにはナチはいないということにしちゃうんです。こうして東には反ユダヤ主義が残って、スキンヘッドのネオナチが出てくるわけです。

池上　東ドイツはほとんど鎖国状態でしたから、ソ連以外からは外国人が入ってこない。西ベルリンからやって来るプロテスタント系牧師やその家族以外は、外国人というものを一切知らないようになった。そうなると、今のように移民や難民が入ってきたら、容易に排外主義に傾きますよ。

佐藤　ロシアにも同じようなことがあって、黒人に対する言葉はネグル（негр）、つまり「ニグロ」ですから。いま世界の中で、ニグロなんていう言葉を使うのはロシア語だけでしょう。元々は、ロシア語のチョールニー（чёрный／黒い）と言うと、コーカサス出身者を指すんです。この言葉にも差別的なニュアンスがあります。

池上　要するに、**小説を読むのも映画を見るのも、単に娯楽として見るんじゃなくて、主体的に分析してみる。小説や映画から学ぶことはたくさんある**んですね。

ヒント30　時代劇がどの程度の時代考証をしているのか、字幕でどう訳しているのかも勉強になる

佐藤　テレビの時代劇も、歴史の知識があると楽しみが増えます。たとえばお金でも、二両五分とか出てきたら、おかしいなと気付けるようになる。四分で一両なのに、なんで

二両五分なんだ。三両一分か、二両二分のどっちかの間違いだろう？「遠山の金さん」でも、なんでお侍がお白州《しらす》に引き立てられているんだろう？ お侍に、「追って、切腹の沙汰を待て」とか、どうして町奉行が言えるんだろう？ 坊主が白州に引き立てられるのはおかしいな、坊主は寺社奉行の管轄じゃないのか、とか。

時代劇がどの程度の時代考証をしているのかを、おもしろがりながら見ることもできます。

池上 気になる点を調べると、どんどん詳しくなりますね。

佐藤 既婚女性の歯が白いのもおかしいし。でも、出てくる女性がみんなお歯黒じゃ、気持ち悪いでしょうからね。

池上 『ダイ・ハード3』（1995年公開、監督：ジョン・マクティアナン）で、ニューヨーク市警のブルース・ウィリスがテロリストとやり合うときに、たまたま黒人（サミュエル・L・ジャクソン）が巻き込まれて、一緒に戦うのがあったでしょ。

あのとき、テロリストがその黒人に、英語だと「おまえは、サマリア人だな」と言うんです。英語で「Samaritan」なんだけど、サマリア人と訳したら、日本人は絶対にわからない。どうやって訳すんだろうと思ったら、字幕翻訳の岡枝慎二さんは、「おせっかいだな」と訳していました。なるほど、うまい！

佐藤 「善きサマリア人」は、「汝の隣人を愛せ」で有名な「ルカによる福音書」（第10章25〜37節）に出てくる言葉ですね。強盗に襲われて半死半生で道端に倒れている人を、通りかかったサマリア人が助ける挿話です。

池上 『ジュラシック・パークⅢ』（2001年公開、監督：ジョー・ジョンストン）の中で、かつての宿舎で荒れ果てたところに行くときに、英語だと「ここはフォーシーズンズじゃないからな」って言うんです。そしたら字幕は、「高級ホテルじゃないからな」にしているわけです。今でこそ、フォーシーズンズは日本にも増えてきたけど、まだわかりにくい時代でしたから。訳し方を見ていると、おもしろい。

佐藤 **字幕を作るには才能が要りますからね。勉強になる。**

池上さん、高倉健が主演している『三代目襲名』（1974年公開、監督：小沢茂弘）は見たことありますか？

池上 いや、ないですね。

佐藤 三代目というのは山口組三代目の田岡一雄です。映画は田岡が刑務所でお務めをしている間に、山口組の親分が対抗勢力に殺されるところから始まります。やがて田岡は出所してきて、太平洋戦争が終わります。戦後、日本帝国主義から解放されたということで、朝鮮人と台湾人と中国人が暴れて、「三国人連盟」を作るんです。「三国人連盟」という腕章まで付けていたりします。警察力でそれに対応できないので、田岡に頼んで自警団を組織して処理してもらう。

田中邦衛の役は刑務所で田岡が知り合った朝鮮人なんだけど、「朝鮮人のワシに、真心の親切の日本人、兄貴たけでした。ワシの身寄り、兄貴たけでしゅ」ということで、田岡の味方になります。警備を頼まれた田岡が警察署を守っているところに、百人規模の「三国人連盟」員が襲撃してきて、機関銃を撃ちまくるような銃撃戦になる。「田岡を殺せ！」「この三国人ども！」なんて怒鳴り合う映画です。敗戦後の闇市の様子なんかがリアルに再現されていて、勉強になります。

池上　すごい映画ですね。今なら絶対に作れない。

佐藤　まず、『山口組三代目』（１９７３年公開、監督：山下耕作）が先にあって、こちらは田岡が人を殺して収監されるまでです。二作目が『三代目襲名』。三作目の『山口組三代目・激突篇』で、田岡がもっとオトコになっていく話を作ろうとしたら、警察からストップがかかった。

なぜかと言うと、山口組を潰滅させるのが警察の目標でしたから、山口組をテーマにした映画をすでに二本も作られて警察の面子は丸つぶれだった。特別鑑賞券を作ったことで、山口組に利益供与をしているとか様々な容疑でプロデューサーを逮捕したりして、三作目の製作をやめさせた。

池上 東映の岡田茂社長と山口組の田岡一雄は昵懇《じっこん》の仲だったわけで、反社会勢力に対して神経過敏な現在にしてみれば考えられないことです。あたかも芸能界の裏面史を見るようですね。

佐藤 なにしろ、『山口組三代目』のクレジットは、堂々と原作・田岡一雄ですからね。三作目を阻止された岡田社長がムシャクシャして作ったのが、『県警対組織暴力』（1975年公開、監督：深作欣二）です。暴力団と癒着するマル暴のデカを菅原文太が演じています。「倉島市」という岡山県の架空都市の設定で、これもよくできた映画です。兵庫県にも広島県にも大きな暴力団があり面倒なので、その間の岡山県を舞台にしたのだと思います。

『三代目襲名』は長いことDVDにならなかったんですけど、最近ようやくなりまして、アマゾンプライムビデオにも入っていますよ。この映画なんか、人権派が見たら問題になるでしょうね。高倉健が田岡組長の役をやっていたこともすごいわけですけど。

池上　いや、いろんな意味で衝撃的です。

佐藤　衝撃ついでに、そっちの筋のエピソードをひとつ披露しておきますと、日本維新の会の鈴木宗男さんが経験した今までで一番きつかった選挙妨害というのがあって、根室で選挙運動していたときの話です。

スキンヘッドでアロハシャツを着た男二人が真っ赤なポルシェのオープンカーに乗って、鈴木さんの選挙カーの後ろにピタッとついてくるんだって。ニコニコ笑ってずっと手を振るんだけど、小指がない。あれには参ったね、なんて言っていました（笑）。

池上　ホメ殺しならぬ、何殺しですか。私たち反社会勢力も応援しています、頑張れってことですよね。これは独創的で、効果は抜群ですね。

【第三章】　いかに学び続けるか

ヒント31 勉強を維持するために、敢えてあまり短期で完成しないことを対象にする方法もある

佐藤　先に「知的再武装」において、あまり時間のかかるテーマは諦めたほうがいいと言いましたが（【ヒント27】）、**勉強を維持するために、敢えてあまり短期で完成しないことを勉強の対象にする**という方法もあります。私が神学を勉強し続けることができるのは、「神はなぜ人となったのか」がテーマだからでもあるのです。これは人間が二千年ほど研究しているのに、まだ結論が出ていません。

ニュートン（※アイザック・ニュートン。イギリスの数学者・物理学者・天文学者・神学者。1642〜1727年）は20代の早々に微積分法や万有引力の法則を見つけたあと、後半生を錬金術のみに費やしたと言ってもいいほどです。到達できない目標を持つのも一つの方法です。

池上　いつまでも到達できないと、場合によっては絶望してしまうので、途中経過でな

んか一つうまくいったよ、みたいなことがあると先へ進めますね。

佐藤 その点うまくできているのは、茶道や華道や書道です。書道を究めるところに天井はないんだけれども、その中間段階は何級とか何段とか細かく分かれているでしょう。専門医の認定も教師の免許も更新制になっているわけで、それは勉強させ続けるためでもある。

池上 勉強し続ける仕組みのない職業は、結構ツラいということでもありますね。そういう職業についている場合は、自分でインセンティブをどうやって作っていくかです。

さっきの究めたい理想の話で言うと、そこに向かうには必要な本が何冊かあるとします。そのリストを作って、**読書ノートをつけて一冊ずつでも読み終わっていけば、達成感は得られます**。勉強をし続けるにはそうした小さな達成感が意外に後押ししてくれたりしますね。そういう絶妙な位置に目標を置くというのも難しいことではありますが。

佐藤 これは竹中平蔵（※慶應義塾大学名誉教授・東洋大学教授。1951年〜）さんが言っているんですが、勉強法に関して、まず天井のある勉強と天井のない勉強に分ける。たとえば英語の上達には天井がないけれども、TOEFLで八百点取るのは天井がある。「天井がある、なし」を縦軸に、「仕事か遊びか」という要素を横軸に取ると、四つのマトリックスができます。自分がこれからやろうとすることを、その組み立てで考えてみたらいいんじゃないかと話していました。実に頭のいいやり方ですね。

ヒント32　ヒトラーとレーニンに読書術を学ぶ。自分の頭の中で記憶して、それを血肉化すること

佐藤　自分の持ち時間の話ですが、その時間がだんだん減っていくことを考えなくてはいけないことはすでに述べました。自分がやりたいことをノートに書き出してみる。それを学ぶのに、どのくらいの時間とお金がかかるかを把握することが要点です。

池上　自分が持っている本のうち、あとどれぐらい読めるのかを考えると、絶望的な気持ちになりますね。これら全部を読む時間はないよねと思うわけで。

佐藤　ティモシー・ライバックの『ヒトラーの秘密図書館』（文春文庫）の冒頭に、「蔵書を見ればその所有者の多くのこと――その趣味、興味、習慣――が分かる」というヴァルター・ベンヤミン（※ドイツの文学者・哲学者。1892～1940年）の言葉が紹介し

『ヒトラーの秘密図書館』

『国家論ノート』

『哲学ノート1』

てあります。そして、ベンヤミンは「愛書家のほとんどはそのコレクションのせいぜい一〇パーセントの本しか読んでいない」とも言っています。

それは、結構、当たっているんじゃないでしょうか。千冊持っている人は、精読しているのが百冊ぐらいで、一万冊持っている人は千冊ぐらい。

池上 ああ、確かにそうかもしれない。

佐藤 ヒトラー（※アドルフ・ヒトラー。ドイツ首相、1889〜1945年）の蔵書は一万六千冊に及んだそうですが、ヒトラーが実際に読んだ本をどうやって回したかがこの本には書いてあります。ヒトラーは読んだら、頻繁に並べ替える。**自分の机の上か横に本棚を作って、二十冊か三十冊を時どき入れ替える**わけです。ヒトラーに学ぶ読書術です。今風に言えば、外付けメモリーの再整理なんです。

池上 それはいい方法ですね。

佐藤 レーニン（※ウラジーミル・レーニン。ロシアの革命家。1870〜1924年）はいつも国家権力に追いかけられて逃げ回っていたでしょう。彼は『哲学ノート』や『国家論ノート』（ともに大月書店）を残しているんですが、ノートにさまざまな情報を圧縮して溜め込んでいました。ノートに書いてあることを契機にして、記憶を呼び込むんです。

ヘーゲル、フォイエルバッハ（※ルートヴィヒ・アンドレアス・フォイエルバッハ。ドイツの哲学者。1804～1872年）、ギリシャ哲学など、読んだ本を圧縮して引用したその横に、コメントが書いてある。「そうだ、その通り」、「ずれてるぞ」とか、「すばらしい箇所！」、「あはは！」とか。

レーニンの勉強の仕方は目的があって、いかに革命を起こすかですね。マルクスはそうじゃなくて真理を追究しているから、レーニンとは考え方が違う。ヒトラーの目的は政治的な野心を実現することだから、ヒトラーとレーニンの読書の仕方は似ています。だから、

ビジネスマンには、ヒトラーとレーニンが役に立ちます。

池上　それはインパクトのあるセリフですね。いい小見出しがつきますよ（笑）。

佐藤　「ヒトラーとレーニンに学ぶ教養」（笑）。

池上　レーニンの『哲学ノート』は横書きの国民文庫のものがいいですよね。

佐藤　そうです。岩波文庫は縦書きで情報量が少ない。どうしてかというと、レーニン全集の第四版に基づいているからです。第四版は、基本的にスターリン時代の編纂ですが、国民文庫が基にしている第五版はブレジネフ時代の編纂で情報量が圧倒的に多い。

それで、肝腎なのは、レーニンもヒトラーも外付けメモリーだけに頼っていたわけじゃ

ないということです。**自分の頭の中で記憶して、それを血肉化していることが重要です。**いまは、iPhoneとかICレコーダーとか、非常にいい外付けメモリーがあるわけでしょ。そこには大量のデータが取り込んであるけれど、**瞬時に取り出して使えるのは、自分の脳に入っているものなんです。**iPhoneがないときに、どうするかですよ。

記者はみんなが経験することだと思いますが、たとえば国会議員や官僚の取材に関して、ICレコーダーで音を録《と》ったときと、音を録れないオフレコのときとどっちが覚えているか。

池上　録音していたら、ぜんぜん覚えません。機械に頼っちゃいますから。どこかに行ったときに、カメラで写真を撮っちゃうと、細部の記憶がないですよね。あえて写真を撮らなかったら、いろんな細部が頭の中に残ります。それと同じことです。

佐藤　映画もそうで、映画館で見た映画のほうが、DVDとかアマゾンプライムで見るより、記憶の定着がいいですからね。もう一度見られるとか、巻き戻せると思うと、まったくダメなんです。

ヒント33 短いネットニュースを信じるのは一種の信仰。教養とは何かと言えば、適切な場面で立ち止まれること

佐藤 いま、私がすごく危ないと思っているのは、何十秒でわかるとかいうネットニュースです。

池上 一分でわかるとか。

佐藤 **短いネットニュースを信じるのは一種の信仰です**ね。三十秒とか一分でわからせるコツは、相手に考えさせないということですから。ある意味で、ヒトラーの技法と一緒です。思考させないことにおいては、一種の扇動と言ってもいい。

読む者を前のめりにさせたままで、どんどん上書きさせていくのは、これがないと生き残れないと思わせる、言わば脅迫としての教養です。それでいて中身は極めて断片的なもので、それだけの情報でわかった気持ちになるのはものすごく危ない。

教養とは何かと言えば、適切な場面で立ち止まれることです。勉強だって、アクセルを

吹かすだけならば、どんなバカでもできるんですよ。

池上　私が言うのもなんですけど、「ああ、わかりやすい」という説明は危険ですね。私もわかりやすくやってはいるんですが、いろんなところで、あまりにも「わかりやすいでしょ！」みたいな簡単でお手軽な解説が増えてきている。**「ああ、わかりやすい」で納得して喜んじゃうのは、実はとても危険です**。

佐藤　池上さんの場合は「わかりやすい」です。だけど、短いネットニュースは「信じやすい」なんです。それは大きな違いです。たとえば三十秒でわかる動画を作ってくださいと言われたら、たぶん、池上さんは断ると思う。

池上　三十秒でわからせてくださいとか、一分でやってくださいというのは、やっぱり断りますね。そんな短時間で説明できるほど、現実に起きていることは単純ではありません。

佐藤　この状態が嵩じると、テレビの三分間の解説に耐えられなくなってくると思う。三十秒や一分に慣れてしまうと、もはや三分間には耐えられなくなる。だから、テレビ離れということが言われたのは、難しいから離れていったわけで、その人たちはネットやYouTubeやツイッターに流れていった。火曜サスペンス劇場型のドラマがなくなってきているのは、時間に耐えられないからです。

池上　もはや地上波の二時間ドラマは、２０１９年度の番組改編で、レギュラー枠が全部、なくなりました。

佐藤　だから、皮肉をこめて言えば、テレビはすでに〝知識人〟のものになっているんです。ワイドショーを見て、その内容が理解できればもはや〝知識人〟だという世界です。それくらい知的水準が下がっている。ネットの特にヘイト系のところは、ほんとにひどい有り様で、底が抜けていますから。YouTubeとかネットの質の低さと、ワイドショーを比べたら、その違いは明白ですよ。

池上　テレビばかり見ていると、人間の想像力と思考力が低下してしまう。大宅壮一(※ジャーナリスト・評論家。１９００〜１９７０年)は「一億総白痴化」と言いましたが、〝知識人〟の水準もグンと下がってしまったんですね。

佐藤　そういうことを理解する上でも、立ち止まることが大事なんです。

ヒント34 **健康は衰えていくことを前提にする。健康においても勉強においても、いつまでも前のめりで行くのはやめる**

佐藤　ちょっと先取りして、中高年以降の健康法なんですが、私の結論をいいますと、**最大の健康法は、医師に処方された薬をちゃんと飲むこと**です。もちろん、きちんとした病院であり医師であることが前提ですけどね。意外とそれを実践できる人は少ない。ウォーキングとかプールに行くとか、そういうことをやる前に薬です。

池上　薬はだいたい自分の判断で、勝手にやめたりしますからね。

佐藤　勝手にやめないことです。どの健康法の本にも書いてないんだけれども、自分の中においてはこれが最上の健康法です。

池上　医者に行くのは切羽詰まって行くわけで、薬をもらって飲んで、ちょっと症状が改善すると、飲むのをやめちゃうんですよ。

佐藤　メガネはずっとかけ続けるわけでしょ。メガネをかけ続けることと薬を飲み続けることは、一緒だと思うわけです。

池上 一緒？ いや、いや、いや、それは違うんじゃない（笑）。

佐藤 ある年齢を越したときには、たいていは何らかの病気を抱えるわけだから、病気を完璧に治すという思想が間違いであって、病気とどこまで付き合っていくかです。たとえば「おまえは肥満体だ」と言われたことを否認するとか、「睡眠時無呼吸症候群じゃないか」と言われてそれを否認するとか、そういうのがいちばん良くない。それをちゃんと認めて、無呼吸症の専門医のところに行って、診察を受けて、一時間に呼吸が何回止まるのか数値を測って、具体的なことをやっていくのが中高年の健康法では重要なんです。体重計に乗るとか、血圧を測るとかいうところから始めて、自分を直視する。

池上 本人の実践から出てくる話だなあ。説得力がある。

佐藤 遠い目標という話につなげれば、理想的にスリムになるとかをはるか彼方の目標として掲げてもいいんだけれども、まずは毎日、体重計に乗って、いまよりも体重を増やさないことです。睡眠時無呼吸症にしても、重要なのは、無呼吸症用の器具を眠るときに付けるか付けないかで余命が何年違ってくるとかの定量的なデータです。それをちゃんと知って、リアルに状況を把握することです。

池上　それで言うと、毎日、体重計に乗るのはすごくいいですよ。それはある種のダイエット法なんですね。毎朝、食事の前に体重計に乗る。なんとかしなきゃという自覚が生まれて、それだけで痩せる人もいます。**スリムになる遠い目標に向けて、体重計に乗るだけでインセンティブになります**。

佐藤　私は睡眠時無呼吸症の患者が用いるシーパップ（ＣＰＡＰ）という器具をつけて寝ています。これは圧縮した空気を強制的に鼻から入れて、気道を広げることで睡眠時無呼吸を防ぐものです。もう七、八年はやっていますけど、これこそメガネと同じで外せない。

おかげで会議中に居眠りがなくなるし、電車の中で本を読めるようにもなる。移動中の時間に本を読むためには、ちゃんと睡眠が取れていないとダメですから。

池上　実は今日も新幹線の中でゲラを見ているうちに、寝落ちしちゃったんです。これは良くないな。

佐藤　電車の中でうとうとして本が読めない、あれ、おかしいなというときには、やはり睡眠クリニックに行くことです。特にちょっと太っている人にはお薦めだし、太っていなくても、ノドの構造とかで無呼吸症になることはあり得ます。**睡眠というのも、勉強法**

では大事なことですね。

池上 私も一度測ってみようかな。

佐藤 中高年以降の健康法では、持続可能であることが重要だし、**健康は衰えていくことを前提にすることです。健康においても勉強においても、いつまでも前のめりで行くのはやめる。**

池上 それをなかなか自覚できなくて、「まだオレはできるんだ」と思っているんですね。この前、テレビ東京のロケで海外に行って、ちょっと時間があったときにたまたま卓球台があったので、気軽にやれると思ってスタッフと対戦したわけ。ことごとくダメで、愕然としました。頭の中ではできると思っても、体が動かない。

私が特に用心しているのはギックリ腰で、気軽に重いモノを持ったりしません。必ずグッと腰を入れます。くしゃみでギックリ腰になる人がいるんです、意外なことに。

佐藤 くしゃみは腰に負荷がかかりますからね。

池上 私は、くしゃみが出そうになると、腰に力を入れています。油断しないで、くしゃみをする（笑）。

佐藤 こういう話も健康法では大事です。

ヒント35 タイプの違う仕事に切り替えることで、休みにする。「仕事＝楽しい」というスタイルの生き甲斐だってある

佐藤　どうやって休むかですが、私なんかは、**仕事をいくつか作って違う仕事に切り替えると、それが自分にとっては休みになります**。池上さんはどうですか？

池上　私も同じです。まったく違うタイプの仕事をする。たとえば大学の講義の準備のためのレジュメを作るのと、連載の原稿を書くのはまったく別の仕事です。切り替えれば休みになります。

あとは、スマホのアプリで、「ぴあ」の映画評を連載しているので、そのためにＤＶＤで映画を見る。私は恋愛映画なんかはダメだから、たとえばチェイニー副大統領を描いた『バイス』（２０１８年公開、監督：アダム・マッケイ）の背景を解説するような原稿を書いたりするんですが、これはかなり気分転換になります。

佐藤　ＤＶＤで映画を見るのは、ほんとに切り替えになる。昨日も極道映画の『日本統

一』（※シリーズ一作目が2013年発売で、現在三十七作品）を見直しました。

これは横浜の半グレ集団の頭を張っている氷室蓮司という男が主人公です。彼は地元のヤクザともめて神戸に逃げて、龍征会という組を立ち上げる。神戸には全国に二万人の構成員を持つ俠和会の本家があって、氷室はそこともめて殺されそうになるんですが、氷室の素質を見抜いた俠和会の幹部に救われて、結局は俠和会の盃を受けてその傘下に入るんです。極道の日本統一を目論む俠和会の話と、その中を破竹の勢いで出世していく氷室を描いた作品です。

暴力団では、抗争で人が死んだり、親分や幹部が殺されたり引退したりするたびに、人事に新陳代謝が起きます。親分の代替わりに伴って、ナンバー2である若頭を誰にするか、執行部に誰を入れるか、傘下のどの組を直参に昇格させるか、とか。人事が不満で組を割って出る者がいたりする。とにかく年がら年中、人事です。こういう組織論や人事の部分がおもしろくて、見ているんですけどね。

池上　このジャンルは佐藤さんにお任せします（笑）。

佐藤　休むことに関連して、働き方改革についても話しておきます。総合職、専門職、一般職と、みんな違う仕事をしていますね。マニュアル労働もコンベア労働もあるから、その辺の仕事に対して一律で二十四時間戦えますか、みたいなことをやるのはダメです。では、そうした単純労働と専門職を一緒くたにして、たとえば外務省のロシア語の専門家の研修生が、「九時―五時以外は勉強しませんから」と言いだしたら、実務に耐え得るロシア語力を習得できませんよね。

池上　まったく、そうです。

佐藤　編集者だって、勤務時間が九時―五時だったとして、「五時五分ですから、私、帰らせていただきます」なんて言いだしたら、どうしようもないでしょう。

『文藝春秋』の記事「『働き方改革』が日本をダメにする」（2019年6月号）で丹羽宇一郎（※伊藤忠商事元会長・社長。1939年〜）さんが、「激しく仕事をした人間は大きく成長します。でも中途半端な仕事をしていたら人は成長しない――だから意欲のある人間は、何時間でも働いたらいいと思います。それは会社のためだけではなく、その人のためでもあるからです」と話していました。

その通りで、**「仕事＝楽しい」というスタイルの生き甲斐だってある**わけで、そういうことが言えなくなったり否定したりするような傾向は危ないですよ。

池上　仕事で地獄を見るって、ある種、若いからこそできるところがある。**いったん地**

獄を見れば、そのあとで辛いと感じる仕事がなくなるという効用もありますね。

佐藤　一点、気をつけなければならないのは、**苦労した肥やしは、他人の肥やしになる場合もある**ことです。外務省の先輩に言われたことですが、「若いころの苦労は買ってでもしたほうがいいよ、肥やしになるからって言われるけどな、気をつけたほうがいいぞ。自分の肥やしじゃなくて、他人の肥やしになる」と。

池上　つまり、ブラック企業とホワイト企業ですよ。ブラック企業は滅茶苦茶に働かされる。ホワイト企業でも過酷な仕事をさせられることがある。そんなときに、そもそも先輩がいなくて、みんな辞めていたら問題です。

佐藤　社内をみわたして、五年上、十年上、十五年上、二十年上と五年刻みで見ていって、尊敬できる先輩が一人もいなければ……。

池上　それはブラック企業だし、そんな会社は辞めたほうがいいですよ。

ヒント36　午前中は知的インプットの時間に当てる。午後はアウトプットなり、体を動かすことをする

池上　一日の時間の使い方について話しておきますと、佐藤さんはうまく使っていますよね。

佐藤　私はだいたい朝四時四十五分ぐらいに起きます。歯を磨いて、ザーッと身支度をして、五時にコンピュータを開ける。どうしてかと言うと、五時に日経新聞以外の新聞の電子版が切り替わるでしょ。

池上　あ、そうだ。午前五時だ。

佐藤　今日どういうことがあるのか大体わかるので、午前五時に各紙をザザッと見ます。予定通り原稿を書いても大丈夫か、あるいは原稿のテーマを変えたほうがいいのか、予定外の電話がかかってくるか、それは朝の五時から六時までの間にわかります。政治家の動きにしても、霞が関の動きにしても、その日の雰囲気が出ていますから、朝の時点でそれ

を押さえておくことはけっこう重要です。まあ、私の場合は特殊な仕事ですから、これは一般の人に薦めることじゃないですが。

池上　そして午前中はひたすら原稿を……。

佐藤　そう、ひたすら書いていますね。ひたすら書いて、本を読んで。人と会うのはよっぽどのことがない限り、昼以降にしています。で、夜はゲラ直しとか原稿直しはしますが、絶対に原稿は書きません。これはパターン化しています。それで、一日四時間は関係のない本を必ず読む。

池上　仕事と関係のない本ですね。私はどうしても朝から仕事で外に出なきゃいけないことが多いので、結局、原稿を書くのは深夜になるんです。深夜になるとやっぱり能率は上がりません。今日はたまたま午前中がちょっと空いていたので、原稿を書いたら、まあ早く進む、進む（笑）。やっぱり、**起きてから朝食を取ったあとの午前中は、脳が働きます**。

佐藤　午前中はいいですね。ただ一つだけ前提になるのは、睡眠不足ではないことです。だから外務省時代は、午前中はどうも頭の回転が良くなかったけど、それは睡眠が三時間を切っているような状態だったからですね。しかも、外務省時代って、毎晩、アルコールが入るでしょ。実際に睡眠も浅い。眠りが浅くて物理的に三時間を切る状態だと朦朧《もうろう》として、午前中はうとうとしているわけです。

池上　睡眠はどれぐらい確保していますか。

佐藤　四時間ちょっと寝れば、だいたい大丈夫です。中学校一年ぐらいのときから、だいたい三時間台で四時間以内でした。まあ、寿命はその分短くなるでしょうけど。

池上　私は何としても五時間は確保するようにしています。三時間のこともあるけど、もう、その後がつらくて、つらくて。「知的再武装」で言えば、**午前中は知的インプットの時間に当てる。午後はアウトプットなり、体を動かすことをする**のがいいですね。

【第四章】 今の時代をいかに学ぶか

ヒント37 自分の会社で延長する再雇用は考え直した方がよい

佐藤　45歳の時点から進んで、次に60歳もしくは65歳の定年について少し考えてみます。池上さんも私も事情は違いますが、基本的に身分はフリーランスなので、「60歳の壁」という、恐ろしい壁を経験しないで済んでいます。この1月で私は60歳になったんですが、同じ学年の人たちが、とたんにショボくれる。

池上　あー、それはわかります。私の同期もそうでした。

佐藤　理由は簡単で、再雇用が始まると、職種にもよりますが、給与を三百万円台ぐらいまで抑えちゃうわけだから、年収千五百万円あった人は二割ぐらいまで下がる。七百万円の人はおよそ半額です。高給取りほどガッカリします。それはどんな理由をつけてみたところで、自分の人間としての価値が二割になったと思ってしまうことで、ものすごいショックを受けるからなんです。

再雇用の前に、退職金が額面とは違うことにも愕然とします。企業年金をもらうことにすると、大幅な減額になるからです。

池上　そこは企業によって様々ですが、企業年金がなければ満額をもらえます。年金は退職金の後払いですから。

佐藤　やはり『資本論』を読んで、貨幣というものがどういうもので、労働力の商品化がどういうものかを知ることが大事です。**かなり早い段階から武装しておかないと、自分の価値が貨幣によって測られることにショックを受けます。**

勤めていた会社に再雇用される場合、だいたい部署が替わりますね。すると元の自分の部下とかが手のひらを返したように、そっけなくなったように感じる。でもこれは、そっけなくなっているんじゃなくて、みんないっぱいいっぱいだから、先輩にいちいち気を遣っていられないんです。

池上　かつての部下たちが冷たいっていうのは、部下たちも付き合い方がわからないんですよ。大先輩がたまたま下に来ちゃったけど、敬語は使わなきゃいけないし、指示命令系統でどうしていいかわからないから、よそよそしくなってしまう。

佐藤　さらに言うと、昔の部下たちが相談に来ないとか、挨拶もしないとか。次の段階になると、オレはこの会社に三十八年いたけど、結局、何だったんだと。こういうことが気になり出すと、そう言えば、こんなイヤなこともあった、あんなイヤなこともあったと思い始める。なおかつ、役員で残っているやつの顔が浮かんできて、あのヤロウ、腹の中でオレをバカにしてやがると（笑）。だから、**自分の会社で延長する再雇用というのは、本当に考えものですよ。**

池上　まあ、一年ぐらい経ったら、それですっかり人相が変わったりしますからね。

佐藤　自分の会社の再雇用だったら、思い切り遠くの、今いる人たちが見えないところに移してもらうか、特に役員になった人たちが見えないところに移してもらう。子会社とか、まったく業種の違うところがいいですよ。心理的なことを考えると、そういうのが必要かもしれません。

池上　同感です。

佐藤　実はね、この60歳で経験する落差の部分に光を当てた本って、ないんですよ。でも、需要はあるんです。40代の後半ぐらいから、先輩たちの姿を見て気がつく人はいるんです。現場一本で生きてきて、専門能力も高かった先輩が、なんであんなにショボくれちゃうのか。これが十五年後のオレの姿なんだろうかと。

池上　60歳で一度、緊張していた空気がすっかり抜けてしまうんでしょうね。

佐藤　再雇用を自分で受け入れて完全燃焼している人っていうのは、全体の一割ぐらいしかいないんじゃないですか。八割の人は処遇の面で、あるいは人間関係の面で、ストレスを抱えている。そのストレスを溜め込んだまま、65歳で完全にリタイアしたときに、家での奥さんの何気ないひと言が、最後の一押しになったりすることがあるかもしれない。

池上　怖いですね。断絶か離婚か……。

佐藤　固〜く心の中にこもってしまってね、もういい！　みたいな感じになって。心に鎧《よろい》ができちゃう。それで、お父さん、なんでこんなに頑固になっちゃったのかしらと。よくあるパターンですね（笑）。

池上　一種の防衛機制で、そうなってしまうんですね。

ヒント38　60歳の壁あたりのときに、やることをちゃんと見つけているかどうかで大変な違いが出てくる

佐藤　60歳から65歳までの五年間というのは、残りの健康寿命の十年間を考えた場合、すごく大切なんです。

だから、技術系の人で、けっこう高い技術を持っている人が、韓国とか東南アジアの会社に行っちゃうことがときどきあるでしょ。そういう人は、自分のストレス耐性がわかっていて、外国に出るストレスに比べても、再雇用で同じ会社にいるストレスの方が大きいという計算に基づいているんでしょう。

池上　海外でなら、研究開発であればそのまま同じ仕事が続けられますしね。

佐藤　経済的に余裕のある人が、なぜ再雇用に行かないで、ボランティアとかNPOとかの地域活動をするかというと、そこでの切り替えなんです。今までのヒエラルキーとは違うところに行ったほうが心理的にラクなんです。

「知的再武装」というときの「知」は「情」も含んでいますから、**自分自身の耐性や、自分は何に弱いのか、それらをトータルに踏まえることが重要だ**と思う。

池上 それは絶対に必要です。

佐藤 家にいても、家族の目が冷たいとか、悪いスパイラルに入ってきて、ウツっぽくなってしまう。こうした60歳以上にならないようにするには、その準備をかなり早い段階からして、数値による評価というところから離れていなければなりません。

池上 60歳になってからじゃ遅いから、その前から準備しておかないとダメですね。

佐藤 もうひとつ頭に入れておきたいのは、偏差値競争の弊害です。誰でも偏差値を加熱だけで見るでしょう。加熱のあとに冷却がかならずついて回ることに注意すべきです。高校受験が端的にそうで、浪人できないから加熱させて難しいところへ偏差値を上げて、ダメだというときには「この偏差値じゃ絶対に入れないよ」で冷却する。次に、大学受験があり、会社の就職競争があり、最後は会社の中で出世競争です。つまり、常に焼きを入れては冷やす、焼きを入れては冷やす、を繰り返すのが一般的な人生なんです。

この**焼きと冷やしの連続によって、日本刀なら鍛えられるけど、人間の場合、それだけ負荷もかかるから、定年前の50代ぐらいには相当にもろくなっている**はずです。それを自覚することが大事になってくる。

池上　それまでの給与の二割で三百万円になる人なんかは、かなり上まで行った人なわけだから、出世した人ほど要注意です。

佐藤　再雇用の60歳から65歳までの五年間なんて、あっという間に経っちゃいますが、その間に受けたトラウマを引きずりながら、残りの人生を二十年ぐらい頑張らないといけない。役職定年で子会社に行くとか、給与も待遇も変わるような段階的な経験があればまだいいんです。いきなり60歳でそのショックを経験する人は大変です。

池上　60歳って還暦ですから、また赤ちゃんからのやり直しですよ（笑）。

私も大学とＮＨＫの同期会をやっているんですが、60歳から65歳までが再雇用で、65歳になった途端に何もなくなります。同期で働いているのは、私一人ですね。

佐藤　あ、やっぱり、そうですか。

池上　そのとき、同期会のみんなで申し合わせて、**病気自慢と孫自慢と介護の話はするな**と提案したんです。これは重要で、放っておくとこの三つの話題に終始してしまう。すると何人かが、「何も話すことがない」って言いました（笑）。

前にもお話ししましたが（**【ヒント4】**）、人の再就職相談に乗ったり、地域でボランティアに精を出している人間もいて、何かやっていると生き生きとしていますね。何もしていないと、もう覇気がないです。やはり、**60歳の壁あたりのときに、やることをちゃんと見つけているかどうかで大変な違いが出てきます。**なかなか皆さんにお薦めはできませんが、途中で会社を辞めれば定年はないんです。これも今にしてみれば、いいことだったんだなと思いますね。

佐藤 逆に言えば、**同期会に出ることで、「自分は今、何もしていない」と、発見するきっかけにすればいいんです。**

池上 そうですね。何もしていない者ばかりじゃ刺激になりませんが、その自覚から、何かを始めればいいわけですから。

ヒント39

「知的再武装」の最終目的は何かというと、良く死んでいくこと。
別の点と線を結んで作り直していけば、過去は変えられる

佐藤 「知的再武装」の最終目的は何かというと、良く死んでいくことです。最後、どういうふうにして自分の人生を終わりにするか。死にどうやって向かい合っていくのか。あるいは有限な時間の中で、自分が生きた証《あかし》をどういう形で納得して、子どもや孫や、あるいは若い世代につないでいくのか。そういう思いを持って残りの時間を過ごすのか、あるいは何も考えないで金銭的に大丈夫かと怯《おび》えながら残りの時間を過ごすのか。

武装している人と武装していない人では何が違うかと言えば、不安の度合いなんでしょう。

池上　武装していないと、まさに怯えの中で死んでいく。

佐藤　**なんで再武装するのか。よくよく考えれば、結局は死を意識した場合の不安との戦いなのではないか。**その不安とはたとえば金銭面でもいいです。千五百万円もらっていたのが三百万円になる、自分の収入が急に二割になった不安。それが五年後の65歳になったら、入ってくるものが年金しかなくなるという不安。

周囲で熟年離婚があると、やっぱり不安になる。同じ類のことを自分もしていたんじゃないかという不安。ある先輩は、定年を迎えたその日に奥さんから離婚届に判をついてくれと言われたとか、別の知り合いは、娘の結婚式のその日に離婚届に判をついてくれと言われたとか、その手の話にはみんなビビり上がりますね。

池上　それで言うと、私が聞いた実話なんですが、定年で退職金をもらったときに、奥さんが「ほんとにあなた、お疲れ様。ご苦労様でした」と。「あなたのこれだけの仕事をした分の退職金というものを、ぜひ、この目で見たい」と言われて、銀行に行って全額引き出してきて、テーブルの上に置いた。で、「本当にご苦労様でした」と。本人が寝て翌朝起きたら、そのお金も奥さんも姿を消していたという、怖い話があります。

佐藤　だから、不安は必ず来る。直視したくなくても、直視せざるを得なくなって、見ざるを得なくなる。

池上　自分の人生、何だったっけと思い出すときに、**自分はどんな知的な経験を積んできたのだろうか、どんな道を来たのだろうかと改めて振り返ってみることです。**

佐藤　それは全部、点と線になるでしょう。点と線をつないで物語を作る。仕事をしているときには、仕事の点と線しか作っていないんです。だから、**別の点と線を結んで作り直していく。そうすると過去も変えられる。**過去は変わってきます。

■歴史においては長生きすることが勝ち

佐藤　政治家たちっていうのは、60歳を過ぎてもピンピンしているでしょ。60代で

「まだこれからだ」ですからね。政治家で疲れたという話を聞いたのは、76歳で辞めたアントニオ猪木先生だけです。

池上 やりたいことがあれば、若さを保てます。

佐藤 あと、鈴木宗男さんに教えられたのは、「歴史においては、とにかく長く生きることだ」と。「だから、中曽根（康弘）先生の勝ちなんだ。歴史をすべて上書きできる」。101歳まで長生きした中曽根さんのような人が歴史を作れますからね。

池上 オーラルヒストリーならば、「あのときはこうだった」と、いくらでも上書きできますから。

佐藤 死人に口なしで、意外といい加減な世界なんです。だから、とにかく嫌いな人がいるときは、相手よりも一日でも長く生きるのも一つの知恵です（笑）。執念とか強い我執、これがあることが60歳を回ってからの生きていくためのコツです。尊敬されるかどうかは別としてね（笑）。

池上 政財界ならその事例には事欠きません。

佐藤 この意味で、ミハイル・ゴルバチョフ（※ソビエト連邦第八代最高指導者、ソ連を崩壊に導いた。1931年〜）とボリス・エリツィン（※ロシア連邦初代大統領。

1931～2007年）では、勝ったのはゴルバチョフです。最近、ピューリッツァー賞を取った作家が書いたゴルバチョフについての二巻本のすごくいい評伝が白水社から出たでしょ（『ゴルバチョフ――その人生と時代（上下）』ウィリアム・トーブマン著）。あれでゴルバチョフの人生は完全に上書きされました。

池上　佐藤さんの書評を読みましたよ。すごくいい人に描かれていますよね、ゴルバチョフ。

佐藤　あれで謎が解ける部分も多いんです。1991年8月、「非常事態国家委員会」を名乗る保守派たちがクーデターを起こしたときに、ゴルバチョフはウクライナのクリミア半島にある大統領別荘「ザリャー」に軟禁されます。しかし、クーデターは失敗し、非常事態国家委員会の関係者は逮捕される。彼の最大の謎は、軟禁から脱してモスクワに戻ったときに、ホワイトハウス（ベールイ・ドーム）前で熱狂する民衆の前には姿を現さな

『ゴルバチョフ　その人生と時代』

いで、自分の家に帰ったこと、あれは何だったのかなんです。
この本はそれについてはよく調べていて、奥さんのライーサが、毒殺されるのを警戒するあまりメンタルを完全にやられちゃって神経衰弱に陥っていたので、放っておけないから妻のことを優先して自宅に帰ったというわけです。これは非常に説得力があります。

池上 新しい話も多いわけでしょう？

佐藤 ゴルバチョフ本人から、今まで彼が話していないことも詳しく聞いています。1986年にアメリカのレーガン大統領とアイスランドのレイキャビクで米ソ首脳会談をやったとき、中距離核戦力（ＩＮＦ）の全廃に合意していて、翌年に全廃条約を結びますね。彼はその先に、核兵器の全廃、大量破壊兵器・化学兵器の全廃まで進もうと本気で思っていたことをこの評伝は書いています。
彼がソ連を崩壊させたのは事実ですが、それと同時に、核の危機から人類を救おうと真剣に考えていた、しかも、よい家庭人だったと書いてもらえるわけです。でも、結局は長生きしたからですよ。

池上 どこかで死んでしまっていたら、ソビエト連邦を滅ぼした男ということでしか歴史に残りませんものね。

佐藤 事実、彼にあるのはそれだけですよ。その意味で、自分のライバルや敵がいる人は、敵よりも一日でも長く生きることを動機にする。そういう邪《よこしま》さがあってもいい（笑）。

池上 このゴルバチョフ本もそうですが、いま評伝で、値段が四千円や五千円もする分厚い翻訳書が増えてきました。ある種のインテリ層は、リタイアした後で、こういう高価な本を一定程度買うんですね。

佐藤 中間層の上層部は、高い本を買いますからね。

池上 リタイアしても勉強しようとする人が、そういう高価な本を買えば、熟読して読み終わるにはえらい時間がかかりますから、時間つぶしにいいんじゃないですか。しかも、読んでしまえば、確実に周りと差がつくという満足度も高いですし。

ヒント40　若い人と付き合うのは非常に重要。教えられることも多い

佐藤　**ボランティアでも、学校の先生でもそうなんですが、若い人と付き合うのは非常に重要ですね。**

池上　関西学院大学で一週間の集中講義を持っていまして、若い人たちがどんな問題意識を持っているかとか、何を知らないかについては、日々いろいろな発見があります。「えっ、そんなことも知らないんだ」って。当り前ですよね、20歳にもなっていない人たちですから。

佐藤　学部はどこですか。

池上　将来の国際機関職員や外交官を養成する「国連・外交プログラム」というのを関学が作ったので、そのプログラムに行くための導入部分の選択必修課目です。国際情勢を勉強したい学生を募ったら百人の応募があって、大学側がレポートを書かせて五十人限定

にしました。

佐藤 関学は不思議なところで、あれだけ優秀な学校なのに、卒業生は基本的に兵庫県から外に出ない。兵庫県庁や神戸市役所では、関学の派閥はとても力を持っています。

池上 あの美しい西宮上ケ原キャンパスを一目見たら、もうイチコロですよ。一昨年に関学に呼ばれて、一回だけ講義したときに、なんて美しいキャンパスなんだ、こんなところで教えられたらと思いましたね。それで今、講義を持っているわけですが、学生たちのレベルも高いです。

佐藤 あそこは学生と教師の交流が抜群です。教師たちの面倒見が非常にいいのは、さすがにメソジスト（※18世紀半ばにイギリス国教会内部に誕生したプロテスタント諸教派の一つ）のキリスト教主義大学だけのことはありますね。

池上 それで、学生が何を知らないかというと、各国情勢の話で、たとえば大韓航空機爆破事件といっても誰もピンと来ない。蜂谷《はちや》真由美でもダメで、実は金賢姫《キム・ヒョンヒ》でもまだわからない。その金賢姫に日本語を教えた人がいて、拉致事件の話をして、そこで初めて、「あっ！」となるわけ（※大韓航空機爆破事件は、1987年11月、偽造された日本国パスポートを使った北朝鮮工作員によって大韓航空機が爆破されたテロ事件。乗員・乗客百十五人が死亡。テロの実行犯の一人は金賢姫で、蜂谷真由美はその偽名）。

　そうか、私たち年寄りは、大韓航空機爆破事件も金賢姫も昨日のことのように知っているのに、彼らがまったく知らないことを知るわけです。これは衝撃的で、「テレビで何かやるときには、そういうことを知らない人がいることを前提に解説しよう」と思いました。

佐藤　いま鎌倉孝夫先生（※経済学者、埼玉大学名誉教授。1934年～）と一緒に『資本論』の全巻読みというのを池袋コミュニティ・カレッジでやっていまして、第二巻がちょうど終わったところなんです。

　同志社の神学部の学生にも、山田盛太《もりた》郎《ろう》（※昭和のマルクス経済学者、東京大学名誉教授。1897～1980年）の日本資本主義分析について、再生産表式（※資本主義社会における社会的総資産の再生産の進行を理論的に抽象した計数表式）の扱い方のところで、数字を抜きにしても単なる均衡条件で再生産メカニズムは導けるんだという話をして、鍛えてい

『ナラタージュ』

るんです。
すると、若い学生は、データサイエンスをきっちりやっていてそれを教えてくれるから、学生から学ぶこともあるんですよ。

池上 そうそう、教えられることもありますよ。

佐藤 自分が読まないような小説、たとえば島本理生の恋愛小説『ナラタージュ』（角川文庫）なんてものを学生に言われて読んでみると、すごく面白かったりします。
学生はだいたい二極化していますね。ほんとによく勉強して語学ものすごくできる学生と、そうじゃない学生。一つのことができる学生はほかのこともできますから、一極における富の集中みたいなことが起きています。それは非常に危ないことでもある。

ヒント41　**60歳を回ってからの人間関係は、過去にあった人間関係の中で伸ばす人を決めていく。60歳でも棚卸しをする**

佐藤 私たちの年代に話を戻すと、三修社から『60歳からのフランス語入門』や『60歳からのドイツ語入門』などが出ていますが、あの種のものは、本当の〝入門書〟ではないんですね。まったくの初心者に向けたものではないのです。大学でフランス語とかドイツ語をやっていた人以外はまず難しいでしょう。

池上 ほんとに初めてじゃなくて、大学の第二外国語でやっていたんだけど、ものにならなかった語学をもう一度やってみるというのならば、まだ大丈夫でしょうけどね。

佐藤 だから私は、**60歳以降は、新しいことには極力手をつけないことにしています。**第一章で話しましたが（【ヒント5】）、やるとしたら、それまでにやってきたことでちょっと芽があるものを伸ばす、そうした形での新しいことです。

若い人との付き合いでも、なんとなく付き合うんじゃなくて、**自分の関心分野が重なるような若い人たちと刺激を受け合うのは非常にいい**ですね。

池上 関心が重なっていれば、こちらからも若い人に提供できることがありますから、相互補完の関係になります。また、教えようとすると、自分の知識を再確認できるので、一挙両得です。

佐藤 人間関係もそうで、60歳を回ってからの新しい人間関係は、傍《はた》から見ているとけっこうリスキーなことが多いです。マルチビジネスに巻き込まれたとか、変な不動産投資に巻き込まれたとか、おいしそうな投資話に乗ってスッテンテンになったとか、連帯保証人として判をついたために家まで持っていかれたとか、たくさんありますよ。**60歳を回ってからの人間関係は、過去にあった人間関係の中で伸ばす人を決めていくこと**です。

人間関係も大事な資産ですから、いままで築いて持っている資産をどうやって活用していくかが重要です。

池上　45歳の話でも言いましたが（【ヒント2】）、**要は、60歳での棚卸しです。人間関係の棚卸しも当然ある**わけです。50歳ぐらいから同期会やクラス会が始まるでしょ。そういうときに新しく構築するのでもいいけれど、久しぶりに会って話が合うかどうかなどを指標にして、数人レベルで関係が始まればいいんじゃないでしょうか。

ヒント42　仲間との勉強会を成功させるコツは、会自体をなくす仕組みをはじめから作っておくこと

池上　後輩たちと一緒でも同年代と一緒でもいいんですが、たとえば読書会や勉強会を

やってみるとします。そのときに、「あなたは、ここの担当ね」と最初から割り当てておくと、人に説明しようとするから、必死になって勉強します。

佐藤　それは非常にいいですね。

池上　自分が報告役になると、どういう風にしてこれを説明しようかなって問題意識を持ちますから、頭にすっと入ってくる。

だいたい勉強するときって、なんとなくそれを理解しようとして読むでしょ。そして理解した気になる。でも、人に説明しようとすると、うまくできない。単に自分が勉強しようというだけだと、そのレベルになってしまう。

インプットとアウトプットのところで話しましたが（【ヒント25】）、若者やお年寄りとか、自分よりも理解度が低いと思われるような人に**どうやって説明しようかと思いながら読むと、理解度も進むし頭にも入ってきます**。

佐藤　その種の勉強会を成功させるコツがあって、永続させずに十回なら十回でいったん切ることです。必ず、一回解散する。継続したければ、解散したあとで少しインターバルを置いて、もう一度集まる。

そうしないと、人間関係とかいろんなトラブルが起きたときに、組織を維持するほうにエネルギーを割かれてしまって、楽しいはずの会合が変質してしまうからです。

池上　サークル化してしまう。

佐藤　サークル化だったらまだいいけど、カルト化してしまう可能性もある。

池上　オウム真理教も最初はヨガの教室でしたからね。

佐藤　そうです。どんなに興が乗ってきても、最初から解散を決めておく。**会自体をなくす仕組みをはじめから作っておくこと**です。二回目以降は、あえてメンバーを入れ替えることも大事です。

池上　この会合を利用してやろうとか、**変な野心を持つ人間を入れないことも大事です**ね。

ヒント43　**アウトプットを同人誌にする。60歳以降で、書籍と結びついた人生を送るのかそうじゃないのかで、残りの人生は相当に違ってくる**

佐藤　人に説明することとの関連で、前にした話をもう少し詳しくすると、アウトプットしないとインプットはできません。

池上　喩え話をしますと、井戸を掘ったときって、下にある水を汲み上げると、井戸水が地下からスーッと上がってくるようになるんです。溜った水をいったん外に出すことによって、新たに水が入るようになる。それと同じ原理で、**いったん知識を外に出そうとすることによって、自分の中に新しいものが入ってくる**。まさにアウトプットとインプットです。

アウトプットするためのインプットにしても、リアルな書店に行ってみて、店頭で本のタイトルを見ているだけでどこかでピンと来るものがあったりします。

佐藤　緊張感をもってアウトプットするんだったら、**アウトプットを書籍化するのも手ですよ。たとえば同人誌みたいなものです**。知的活動を活性化させるのに同人誌作りはけっこうお薦めします。しかも、それを作るコストは昔に比べてすごく安くなっているでしょ。

一番簡単なのはワープロで原稿を書いて、キンコーズなどでそのコピーを取ってから製本すればいい。あるいはデータで渡せば、デザインを組んで冊子にしてくれる、プリントパックも便利です。結構しっかりしたものが作れます。五人の読書会なら、一人に十部ずつ渡す。そういうお金の使い方はいいんじゃないですか。しかも、国会図書館に納本もできる。国会図書館は全部受けてくれますから。

池上　モチベーションは上がりますね。

佐藤　中高年でも、とくに定年退職後は時間に余裕が出てきます。**自分の本当の終わりの終活というものを、60歳からはじめてみる。**同人誌はその一例にすぎません。とすると、その心構えは45歳ぐらいからしなければならない。

いままで本の勉強について詳しく話してきましたが、**60歳以降で、書籍と結びついた人生を送るのかそうじゃないのかで、残りの人生は相当に違ってきます。**ネットだけじゃダメです。

池上　ネット空間に閉じこもるのは危険ですね。

ヒント44　エンドレスでハマる恐れがあるYouTubeには気をつける

佐藤　50代後半から60代ぐらいの人たちが、いま5ちゃんねるに懸命に書き込んでいるわけでしょ。「今日もコンピュータの前に十五時間座っていたよ」なんて言いながら、「日本がなんとなくナメられている」とか、「韓国の言い草がアタマにきたから、ネットでガツンと言ってやったよ」とか、容易にそういうネットナショナリズムの世界に入っていきますからね。

タダのYouTubeで軍歌の「抜刀隊」を聴いたり、サイトに勧められるままに次々とそのユーチューバーのヘイト系のものを観たりするんです。しかも、**エンドレスでハマる恐れがある。YouTubeには気をつけたほうがいい**です。

池上 時間潰しにはなりますからね。家でパソコンに向かっていると、家族からも「あ、なんかやってる。ゲームをやってるわけじゃないから、なんか勉強してるのかな」なんて思われて、誤魔化せますしね。

佐藤 パソコンを見ている分には、電気代も大してかかりませんから、いくらでも見てしまう。

池上 そうやってネットにハマっていると、同級生にも若い人にも接触せずに、どんどんネットの世界に突き進んでいきます。まさに定向進化（※一定の方向性への進化）ってやつです。恐竜のように、滅びの道に定向進化してしまいます。

50代や60代の人は、極右とかネトウヨとかだって、最初のうちは知らないわけです。それが、「おっ、こんな世界があったんだ」とか、「お、実はこうだったんだ」とか、間違った新しい発見をしてしまう。たぶん、本人は知的好奇心を掻き立てられているつもりなのかもしれないけれど、実はウップンを晴らしているだけ。**排他的で好戦的になったら、違う意味での再武装になってしまいます**（笑）。

佐藤　ネトウヨになるような人たちっていうのは、そもそもは知的な職業についている人たちで、お医者さんとか弁護士とか、専門職系の60代、70代が多いようですね。そういう人たちは、情報を集める力はあるから、自分にとって都合のいい情報だけを集めてしまう。

池上　大学の同級生からのメールでね、同級生たちが久しぶりに会って、いかに韓国がひどいかって話で盛り上がりましたというのが来ました。ああ、嫌韓論か。ネトウヨになりつつあると思いましたよ。

佐藤　インターネットによって、自分が好きな情報だけを無意識のうちに引っ張っちゃう。それだけじゃなくて、ＳＮＳを始めると、フェイスブックにしてもツイッターやインスタグラムにしても、反応があるから自分が承認されたと思ってしまう。そのスパイラルですね。

池上　「いいね」がほしいという承認欲求ですね。

佐藤　ＳＮＳをやっている高齢者とやっていない高齢者では、その世界像はだいぶ違いますからね。パソコンに向かっていると、新聞をやめちゃう。オレはネットを使えるから、そこから情報は全部取れると思っちゃう。ヤフー、グーグルで、自分に必要なことは引っ張れば出てくるということになる。

池上　そのうち、保守系のまとめサイトばかり読んでいた、となる（笑）。

佐藤　そうやって自分の心の中の歪んだ世界とシンクロしてくるんです。今まで抑えていた負のものが、そこに行ったら全部発散できる。こういうことを言ってはいけないと思っていたんだが、言ってもいいんだ、という世界になる。そこのところで幼児のような全能感が芽生えてくる。そこでドーパミンが出てくるようになったら、もう病的な世界ですよ。

池上　しかも、**ＳＮＳの世界はリミッターがついていません**からね。さらに、定年でも迎えていれば時間は無尽蔵にありますから、朝から晩まででもできちゃう。

それを回避するためには、リアルな書店に行くことを絶対にお薦めします。**あるジャン**

ルの本棚でいろんな本を見れば、ある種の毒消しになります。自分が思っているものと違う立場の本もいっぱい並んでいますから、自分の偏りがわかります。

佐藤 リアルなものに接するのは、お金もエネルギーも要るんですが、それをやるとだいぶ違います。**ネット空間にいるよりも、たとえば、夫婦で旅行するとかも大事ですね**。奥さんとの思い出の場所に行ってみるとか。やっぱり時間があってゆっくり話すことになるから、多少、最初は気恥ずかしくても、非常に重要なことだと思います。

池上 それについては何も言えません（笑）。

ヒント45 **ツイッターでも何でも、SNSは見るだけにすること。書き込みを始めるから、泥沼にはまったり、炎上したりする**

佐藤 60歳過ぎでLINEなどのSNSで消耗している人たちがいますよね。LINEでグループからあいつが抜けたとか、既読スルーとはどういうことなんだと、いちいち国政に対するぐらいの勢いで怒って、完全にSNSに振り回されています。

池上　中高年にはＳＮＳの免疫がないから、ハマってしまう。若い連中の方がもう長年やっていて免疫がついていて、こんなもんだぐらいの意識で使っていますよ。

佐藤　ネットリテラシー（※インターネットを正しく使いこなすための知識や能力）ですね。会社のことなんかをネット上にいろいろ書いてトラブルを起こすのも、結構、50歳以降の人間のことが多いですね。

ネットについて考えると、たとえばシャーロック・ホームズが書かれた時代は、ホームズがコカインの七パーセント溶液を日に三度も打っているわけです。そこから何十年か経って、コカインは有害だとなった。それと同じことで、ＳＮＳの有害性については三十年ぐらいしてみないとわからない部分があります。ただし、それによってすでに大変な状態に陥っている人が出ているのは間違いない。

池上　どうすればいいのかと言うと、ＳＮＳなんかやらないのが一番いい（笑）。それでは解決にならない？

だったら、**ツイッターでも何でも、見るだけにすることが肝心です。書き込みを始めるから、泥沼にはまったり、炎上したりするんです。とくに中高年は見るだけにしておくことです。**

佐藤　そうそう、SNSをめぐるゲームのプレーヤーにならないでおくことは大事ですね。

私のアドバイスは、パソコンを使うことです。**LINEで連絡をもらっても、パソコン（PC）で返す。**スマホのLINEで連絡するのは、「了解」とか「何時に集合」とか「分かりました」とかだけにして、込み入った話は必ずPCのメールでやる。

池上　それは一つの手ですね。

佐藤　前にも言いましたが（【ヒント9】）、学生たちを見ていますと、SNSで日常的に連絡してくる学生と、PCのアドレスから連絡してくる学生の間には、成績に関して有意に違いがあります。PCを日常的に使っている学生の方が成績がいい。ネット空間と言っても、PCとSNSでは、ぜんぜん違う文化です。

PCで送られたメールには二、三日返事をしなくても問題にはならない。ところがLINEで即レスをしないと、何か含むところがあるのかという反応が起きるわけです。その二つは文化体系が違っていると認識することが重要だと思います。

池上　PCをベースにすると、いったん客観的に見るというか、冷却時間がありますからね。PCは画面も大きいし、きっちり文章が読めますから。

佐藤　それからＰＣでは絵文字をあまり使いません。感情表現を絵文字なしで書いていますからね。

池上　就活中の学生から、「どうしたら文章力がつきますか」って聞かれたときに、絵文字は使うなと答えたことがあります。絵文字に込めた感情の部分を、文章で表現することではじめて文章力がつくんです。

佐藤　絵文字と同時に、ＳＮＳは体言止めが多用されるけれども、**体言止めというのは時制や結論を誤魔化すために使う**わけです。

池上　なんとなく文章のリズムがいいように思えるんですが、荒れた下品な文章になりやすいですね。

佐藤　たとえばＳＮＳに限らず文書でも、「本件については善処」と書いたものがありますが、これだと、善処したのか、善処しているのか、善処するつもりなのか、そこを誤魔化しているわけです。

池上　誤魔化さない文章を書くのは大変なことなんですが、それで力を養えば、文章力がつきますよ。

ついでにＡＩについて触れておきますと、極端なことを言えば、中高年にとっては別に

AIは脅威じゃないですから。若い人にとっての脅威なので。

佐藤 そうそう。われわれの世代は逃げ切れるから、問題にしなくていいです。

ヒント46 ウィキペディアの使用には気をつける

佐藤 学生たちに強く薦めているのは「**ジャパンナレッジ**」**の利用契約をすること**です。ジャパンナレッジは、千五百冊以上の辞書や事典が使い放題のオンラインサイトですね。歴史ものを引っ張ってくるときには、このサイトで見ることです。

ウィキペディアは使ってもいいんだけれども、**ウィキを使うときには、そのウィキの記述が正しいかどうか判断できる人が横にいるときだけ**にしなさい、と言ってあります。

池上 ウィキは書き込み自由のサイトですから、間違いが多いし、それをチェックする人もいません。

佐藤 たとえば、ウィキのある項目で、日本語、英語、ドイツ語、ロシア語のものを並べて見たときに、どれぐらい違いがあるかですよ。一例をあげれば、ロシア語のウィキには、「プーチンに愛人がいる」という話は出ていません。ウィキには誰でも書き込めるんですが、それを書き込んだ後、どういうことになるかはロシア人なら分かっている。だから、ロシア語空間ではそういうことは起こりません。

池上　ネット空間のものは、とくに個人で発信しているものには校閲が入っていないわけです。その人に悪意がなくても、思わぬ勘違いや間違いはいくらでもありますよね。ちゃんとした出版社から出ている本は、校閲が入っているわけで、そこは相当に違います。

佐藤　本以外のことで誰を信頼するかについては、まず、信頼できる書評家とか、信頼できる評論家の意見を参考にするのは一つの手です。ただ、専門家としての肩書きがあるから大丈夫かというと、必ずしもそうじゃないから、慎重になる必要はあります。

ヒント47　**フェイクニュースに騙されない教養を身につける。疑うことを放棄しないこと**

佐藤　ネットにはフェイクニュースの問題も確実にあるんですが、フェイクとリアルの境界が本当になくなってきているのも事実です。

ジャン＝フランソワ・リオタール（※フランスの哲学者。1924〜1998年）が言うところのポストモダンの定義によれば、ヘーゲルやマルクスが人類全体の進歩について考えた「大きな物語」の時代は終焉して、現代は無数にある価値観を認め合う「小さな物語」がひしめき合っている。それがポストモダンの状態です（※『ポスト・モダンの条件』水声社）。

「NHKから国民を守る党」や「れいわ新選組」を見ていると、明らかにポストモダン的ですよ。ある意味で、ほとんどフェイクじゃないかというようなものに、単なるノリで乗っかっていく国民がいるわけです。

そもそも「れいわ新選組」という党名にしても、天皇の元号である「れいわ」と、佐幕派の「新選組」を結びつけるのは矛盾していませんかと、池上さんが代表の山本太郎さんに聞いたら、矛盾していると認めた上で、維新を名乗りながら政権にベッタリの党もあるからと答えた。これはまったく回答になっていないし、切り返しにもなっていません。

池上　テレビ東京の選挙特番（2019年7月）のあの場面を、ご覧いただいたんですね（笑）。

フェイクは見極めが非常に難しいものになってきていますが、読む者の教養や一般常識が問われているのだと思います。一定程度の教養や常識があれば、「こんなことはあり得ないだろう」と判断がつきます。ものすごく巧妙なフェイクでも、「こんなことがあるのだろうか？」と疑問を持てるかどうかです。**フェイクに引っかからない教養を身につける**というのが結論でしょうか。

ちょっと古いんですが、前回のアメリカ大統領選（２０１６年）で、ローマ教皇がトランプ候補を支持したというニュースが出ました。ローマ教皇がどういう存在なのかが分かっていれば、「あ、出来の悪いフェイクだな」と、一瞬で見破ることができるはずなんです。これからもいろんな場面でいろんなフェイクが出てくるでしょうが、逆に言えば、**ちゃんとした常識を持っているかどうかが日々試されている**ことを自覚したいですね。

佐藤　あと問題なのは、**自ら疑うことを放棄してしまって、「順応の気構え」ができてしまっている**ことです。自分が理解できないことはきっと誰かが説得してくれるだろう、本当のフェイクだったら誰かが違うと言ってくれるだろう、という順応です。

池上　なるほど。自分で判断する能力が失われているというよりも、そこまでの努力もしないわけですね。

佐藤　順応の気構えというのは、ユルゲン・ハバーマス（※ドイツの哲学者。1929年〜）が『晩期資本主義における正統化の諸問題』（岩波現代選書）の中で言っていることです。「順応気構えの《究極の》動機は、疑わしい場合には自分が論議によって納得させられうるであろうという確信である」。

つまり、物事を自分で調べて、検証するにはものすごいエネルギーがかかる。だから、複雑でよくわからないことは、誰かが説明して自分を説得してくれるだろうというわけです。それこそが、「順応の気構え」です。積極的に自分で物事を検証するという発想が出てこなくなる。質が高く、深い情報が大量に出る社会であるほど、その傾向は強まってくる。

その説得の役割をいまの日本で果たしているのは、ワイドショーです。森羅万象、ありとあらゆる問題について説明し

『晩期資本主義における正統化の諸問題』

てくれますから。しかし、判断をワイドショーに委《ゆだ》ねることも危ないですよ。

池上 説明だけじゃなくて、感情の方向付けまでしてくれますからね。

ヒント48 社会進化論の視座を持てば、いろんな問題があぶり出されてくる

佐藤 私がいま気になっているのは、もともとは19世紀半ばにハーバート・スペンサー（※イギリスの哲学者・社会学者。1820〜1903年）が唱えた**社会進化論が、形を変えてまた力を持ちつつある**ことです。社会進化論とは、チャールズ・ダーウィン（※イギリスの自然科学者。1809〜1882年）の生物学的進化の理論を、社会と文化に敷衍《ふえん》したものです。ただし、ダーウィンとの大きな違いは、スペンサーが進化に優劣的な価値を付け加えたことです。

池上 ダーウィンはあくまで適者生存、すなわちその場に適した者が残るとして、強者生存や優者生存じゃないんですね。強い者、優れた者が生き残るのではなく、言ってみれ

ば、生き残った者が生き残る、としたわけです。

佐藤　スペンサーの理論は、優劣という意味において、帝国主義や人種主義に多大な影響を与えました。だから、トランプ大統領の優劣的な白人至上主義も、社会進化論の文脈で捉えるべきです。

池上　ああ、それはおもしろいですね。

佐藤　ですから、**いろんな本や人の言うことを、社会進化論の視座から見ることができます。**社会進化論を前提にして、それはダメなんだという方向で処理しているのか、逆にそれに乗っかれという方向なのか。あるいは、ユヴァル・ノア・ハラリ（※イスラエルの歴史学者で『サピエンス全史』の著者。1976年〜）の『ホモ・デウス（上下）』（河出書房新社）のように、両義的に読めるようなものを使って、どっちを考えているのか分からないふうにして終わるかです。

池上　**社会進化論的視点が問題をあぶり出している**わけですね。

佐藤　昨年7月の参院選でも、自民党と公明党が言うところの「安定か混乱か」において、自民党支持に回った人たちは、ある種、あきらめてしまった上で安定を選んだ。これも社会進化論的な発想に基づくものです。

あの選挙で明らかになったのは、社会進化論的なあきらめと不安に対する形而上的な恐怖です。言い換えると、中産階級が中産階級から落ちていくということに対する怖さがあって、それで、幻想の安定に結びついていった。その幻想の安定からも弾かれてしまった人たちが、「N国」と「れいわ」に流れたという構図なんでしょう。これは雰囲気としては1930年代に似ています。だから、すごくイヤな感じがしています。

私は「N国」は危ないけれども、まだマシだと思っているんです。「N国」がいかがわしいということは、国民の誰もが気付くから（笑）。

池上　票を入れた人もそう思いながら入れたでしょうからね。

佐藤　より危ないのは、「れいわ」の方だと思います。なぜ、左派とかリベラルと言われているような人たちが、あそこまで「れいわ」を擁護したのか。それを読み解くのに最適なのは、マルクスの『ルイ・ボナパルトのブリュメール18日』（平凡社ライブラリー）で

『ルイ・ボナパルトのブリュメール 18 日』

す。

そこでマルクスが言っているのは、代表する者と代表を送り出す者の連関というのは、そこに合理性がなくてもかまわない。全体を代表しているということは、無代表であることと同じである、という理論です。だから、山本太郎はすべての人を代表しているから、無代表というべき存在なんです。実はこれ、ファシズム論の原型でもありますよね。それでもって、「れいわ」は大衆の怒りを吸収するのに成功しています。

ヒント49　人類が滅亡する可能性がある核問題に対するリアルな認識を持つことは最重要課題

佐藤　一方、世界情勢に目を転じて、そこでの最重要課題は何かというと、実は、**人類が滅亡する可能性があるということに対するリアルな認識を持つこと**だと思います。

私が非常にショックなのは、昨年8月2日に、アメリカが旧ソ連と1987年に締結したINF（中距離核戦力）全廃条約が、2月のアメリカの離脱通告を受けて失効したことです。それに対するメディアの扱いが本当に小さかったこともショックでしたが。

ＩＮＦ全廃条約が失効したとは何を意味するのかと言うと、アメリカはこれから地上発射型の中距離離核ミサイルを作り始めるということです。中国はそもそも条約外だから、ＩＮＦを中国に向けて配備する国がどこになるかと言えば、それは日本に他ならないわけです。

池上　アメリカはアジアに中距離ミサイルを配備すると言っていますからね。

佐藤　日本にそれを配備すれば、対抗して、何百個というミサイルが日本に対して向くことになります。中距離核ミサイルは〝使える〟核ですから極めて重大です。

そうすると、広島・長崎のリアリティをもう一回確認するために、広島や長崎への旅は非常に重要になってくる。この前、広島の平和記念資料館へ行ったんですが、次世代にどうやって被爆体験を継承していくかという点に関して、改修して非常に良くなっていました。

池上　私もテレビのロケで二回、中をレポートしましたが、ほんとうに良くなっていますね。たとえば以前は、遺品があって名前が書いてあるだけだったのが、今回はその遺品を持っていた人の写真が必ず展示してあって、ストーリーが書いてあります。

広島では被爆者の平均年齢が82歳を超えました。被爆体験を話す人が亡くなっていき、それをどうやって継承していくかというときに、平和記念資料館に行けばそれが継承できる形になりました。かなり残酷な写真も出ています。遺体の写真や白骨の写真もあって、かなりショッキングです。しかし、その写真があることで、原爆によってどれほどひどいことがあったのかが、本当にリアルにわかるようになっています。

佐藤 核の脅威に関しては、「知的再武装」の中の一つのテーマとして、これがどれぐらい大変な意味を持っているかを知っておかなければなりません。**核廃絶は、本当に焦眉《しょうび》の課題なんですよ。その認識を持っているかどうかは、ものすごく重要です。**

池上 新聞報道は扱いが小さく、ＩＮＦの全廃条約が失効したと報じるだけで、ＩＮＦがどんなものかがよくわからない。中距離が五〇〇キロ以上で五五〇〇キロ未満と書いてあるんですが、それ以外の比較が何もないんです。

実は私が8月6日の広島からの放送（２０１９年、広島テレビ）で細かく話したのは、ミサイルには長距離と中距離と短距離があって、長距離に関してはアメリカとロシアが上限を定めたり、数を減らしたことです。中距離を全部やめたというのは実に画期的なことだったのに、またそれを始めるということは使える核がどんどん増えていくんだと解説しました。しかも、短距離については、そもそも何の規制もないわけです。だから、北朝鮮がここのところ発射実験しているのはみんな短距離です。

佐藤　北朝鮮側の発表によると、新型戦術誘導兵器システムを導入した弾道ミサイルの発射に成功したと主張していました。あれはロシアの短距離弾道ミサイル「イスカンデル」の技術が入っているという見方が有力です。

それから、昨年8月、ロシア北部アルハンゲリスク州にある海軍ミサイル実験場で、爆発事故があったけど、あれは原子力推進ミサイル実験の失敗ですよ。

池上　あれには驚きました。ロシアは原子力推進人工衛星を打ち上げましたから、その技術を模索中なのでしょう。

佐藤　興味深いのは、ロシアの国防省と国営原子力企業ロスアトムの発表が違っていたことです。国防省が放射能レベルを「正常値」とした一方で、ロスアトムは「危険域まで放射能漏れがあった」と言ったことが報じられました。原子力推進ミサイルということは、事実上、射程距離は無限です。

池上　とんでもない話です。

佐藤　核廃絶とか口にした途端、左翼だなどと言われますが、もう左右は関係なしに大変なことになることを認識すべきです。マルクス・エンゲルスの『共産党宣言』を思い出すと、すべての社会の歴史は階級闘争の歴史なのだと。しかし、社会全体の革命的改造に終るか、あるいはあい争う階級の共倒れになる、ということでもある。つまり、核を握った側も、別の側も共倒れになるということなんです。**現在の核をめぐる状況によって、世界はまったく新しいフェーズに入った**のです。

池上 いやもう、本当に恐ろしいことですよ。

聖書の翻訳には世界の状況が反映される

佐藤 日本聖書協会から『聖書』の新訳が出たことは前にお話ししました（【ヒント12】）。「創世記」のところで、旧来の訳では、「我々にかたどり、我々に似せて、人を造ろう。そして海の魚《うお》、空の鳥、家畜、地の獣、地を這うもののすべてを支配させよう」でしたが、今回この最後の部分を「地を這うあらゆるものを治めさせよう」に訳し直したんです。「支配する」から「治める」への変化は、支配権じゃなくて管理権ということです。

これは神学的には非常におもしろくて、管理権というのは、神様から委託されて管理する範囲内でということを意味します。この文脈で、世界的にも「支配」から「管理」に翻訳し直しています。聖書の翻訳には、世界の状況の反映があるわけです。そして、その管理を超えているのが核兵器なのです。

池上 核は管理権を逸脱しているんですね。

佐藤 そうです。核は人間の管理能力を超えていて、神から委託された授権の範囲を超えている。授権の範囲を超えているからこそ、それをやめなければならないことになります。

ついでにもう一つ指摘しておきますと、たとえば新約聖書の「ルカによる福音書」17章11〜19節ですが、旧来は、「重い皮膚病を患っている十人の人をいやす」でしたが、新訳では「規定の病を患っている十人の人を清める」となりました。昔は「レプラ」と訳し、次が「らい」で、その後が「重い皮膚病」で、最新の訳が「規定の病」ですね。

池上 規定？　わかりにくいですね。

佐藤 律法で規定されている病という意味です。だからこれは、昔のようにハンセン病を指すものではないことになります。聖書の翻訳に、ここでも時代が反映されている。神学者たちは、時代も核の問題もわかっていますから、それをどうやって伝えていくかに腐心します。「過ちは繰返しませぬから」って言うけれども、主語は誰なんだとか、そんなのは問題じゃない。主語なんて何でも良くて、とにかく核廃絶をしなければいけないということですね。

池上 原爆を落とされた長崎には、カトリック教会がありました。あの当時、神様がいたらこんなひどいことをするわけがない、神様なんかいないじゃないかと棄教《ききょう》する人たちがカトリック信者の中に出てきたときに、「いや、これは神が与えた試練なんだ」として自らを納得させようとしました。だから、「その被害を声高に言うことはいけないんじゃないか」となったんだそうです。

ところが、1981年にヨハネ・パウロ二世が来日したときに、「戦争は人間の仕業《しわざ》です」と言ったんですね。普通に聞いていると、それは当り前だろうと思うんだけれども、長崎と広島のカトリック教会の信者たちには、この言葉が衝撃的だったそうです。「あ、神様が与えた試練じゃなかったんだ。愚かな人間がやったことなんだ」「ということは、この被害を声高に訴え、絶対にやっちゃいけないと言えるんだ」とガラッと変わったんです。長崎と広島の神父さんたちがそういう話をしていました。

佐藤 それはやっぱり神学的な問題ですね。3・11の東日本大震災のときに、当時の都知事だった石原慎太郎氏が「天罰だ」と発言して大変な批判に遭いました。「天罰」という言葉が良くなかったし、犠牲者がどんどん出ているあのタイミングでそれを発言するべきかどうかという問題はあります。

おそらく、石原氏が意味したかったであろうことは「天譴《てんけん》」なのであって、その考え方は重要なんです。天譴とは、キリスト教では神の怒りだし、儒教では天による為政者への譴責ですね。人類自身が増長してしまったことに対しての天譴と、この世で起きていることに対する天譴、それは受け止めなければなりません。

池上　昨年11月に来日したローマ教皇（フランシスコ）も「天罰」に言及していました。「人類に与えられた試練」という考え方は意味があると思います。

佐藤　天譴について、チェコスロバキアの神学者のフロマートカ（※ヨゼフ・ルクル・フロマートカ。1889～1969年）が言っています。二度の大戦は、キリスト教国家が起こした。もし、キリスト教文明が戦争を起こしたことを忘れてしまって、たとえば第二次世界大戦の責任を特定のナチスなどだけに押し付けてしまうのであれば、自分たちの責任は免罪されたことになってしまう、と。そこに天譴論をなくしてしまっていることを非常に悲観しているんですね。

ヒント50　怖がる必要のないものと怖がるべきものを峻別する

池上　この流れから、「知的再武装」に引きつけて言うならば、たとえばローマ教皇が長崎・広島に来たというニュースがあったら、ローマ教皇ってそもそも何だっけとか、中距離核ミサイルについて勉強するとか、きっかけはいろいろ転がっていますよ。ローマ教皇から関連して、十字軍って何だっけとか、そこからまた広がっていくこともありますしね。

ニュースを出発点にして、「そういえばこれ、何だっけ？」「そういえば、若いころにちょっと齧ったよな」と自分の再発見にもつながります。

佐藤　「知的再武装」とは何かと言うと、**怖がる必要のないものと怖がるべきものを峻《しゅん》別《べつ》すること**です。年金とか、65歳以降に二千万円が必要だとかいう話は、本当は怖くはない。核のほうがよっぽど怖いということをきちんと認識することが大事です。

私が恐れているのは、憲法九条の全面改正で交戦権を認める、ついては核武装だというようなことを公約に掲げる国会議員が一人でも出たら、この国の位相が、雪崩《なだれ》をうって変わる可能性があることです。こういうのは言ったらいけないことになっていますが、選挙が行われると、その国の民度の問題が明らかになってくる。

池上　国の民度を露呈させてしまうような政治家なり、イデオロギーというものがあるんですね。そして、その出現によって、突然、民度がわかってしまう。そもそも投票に行かなかったはずの人たちが、「N国」が出てきたら、「おもしろいじゃん」と言って投票に行くわけです。

佐藤　ロシアのエリツィン大統領の頭脳と言われたゲンナジー・ブルブリス（※初期エリツィン政権時代の国務長官。1945年〜）が言ったことを思い出します。「ジリノフスキー（※ウラジーミル・ジリノフスキー。極右のロシア自由民主党党首。1946年〜）の強さはどこにあるのか、マサルは分かるか?」、私は「分かりません」と答えました。すると、「それはマルクスが言っているルンペン・プロレタリアート（※社会の最下層で反動的陰謀に買収されやすい人々のこと。『共産党宣言』より）、彼らを政治的に活性化することができるところだ」と言ったんですね。

池上　トランプの場合も同じです。忘れられた人々といわれる白人ブルーカラー労働者たちはそれまで投票なんかには行かなかった。トランプが出てきて、「あ、こいつ、おもしろいじゃないか。こいつを共和党の大統領候補にしよう」というので、共和党員が激増しました。アメリカでは、党員集会や予備選挙のときに、そこに行って共和党員になりますと名前を書けば、そこで投票できるんです。

そういう連中に後押しされ、トランプは共和党のトップになり、ついには大統領にまでなった。日本の「おもしろいじゃん」という構造と似ていますね。

佐藤　それはさきほども言いましたが（【ヒント48】）、マルクスが、『ルイ・ボナパルトのブリュメール18日』で、ナポレオン三世（※フランス皇帝。１８０８〜１８７３年。ナポレオン一世の弟、オランダ王ルイ・ボナパルトの第三子でルイ・ナポレオンと呼ばれた。クーデターを起こし、国民投票で圧倒的な支持のもとナポレオン三世として帝位に就く）について言っていることと同じです。

「一袋分のジャガイモが一つのジャガイモ袋をなすのと同じように、同じ単位の量の単純な足し算によって、フランス国民の大多数が出来上がる」。そのジャガイモであるところの大多数とは、各人はバラバラの分割地農民（※当時のフランス社会で最も人数の多い階級）のことで、それを代表する者がいないから、ナポレオン三世という一個のジャガイモに託した。ナポレオン三世は議会を廃止して皇帝になっちゃって、分割地農民たちはいちばんひどい目に遭うわけです。

でも、それは「自民党をぶっ壊す」という形で出てきた小泉純一郎・田中眞紀子のときと同じで、日本人は一度経験していることなんですよ。

池上 ましてやあのころ、首相公選制になっていたら、田中眞紀子は間違いなく総理大臣になっていました。首相公選制は危険なんです。国民投票も危険ですが。

佐藤 だから、鈴木宗男さんが政治生命を賭して、田中眞紀子と刺し違えたのは良かったわけです。彼女を辞めさせただけでも国益でした。

池上 あのとき、「こどもニュース」で田中眞紀子がなぜ外務大臣から更迭《こうてつ》されたのかを、わかりやすく解説したんです。そうしたら、眞紀子ファンから、抗議電話が殺到した。もう炎上です。「なんで眞紀子さんの悪口を言うんだ」って、身の危険を感じるほどの抗議でした。

佐藤 そういうことが再来してもおかしくはないということです。だから、私は選挙の前から、「N国」には注意しなければならないと言っているわけです。彼らの主張するところは、ＮＨＫに代表されるようなエリート層、つまり**上級国民と、われわれ民衆という二項対立ですから。その二項対立に落とし込まれないようにしなければなりません。**

池上　ＮＨＫに信頼があればあるほど、ＮＨＫに対する反発や憎悪を持っている人たちもいるということです。沢尻エリカが大河ドラマの準主役をおろされて、十話分を撮り直した件だって、ＮＨＫの落度だとあげつらう人間は出てきますからね。攻撃材料は何だっていいわけです。

ヒント51　危機に直面したときに筋を通すこと。そこで人に何かを被せて生き残ろうとする人間は、結局は信頼を失う

佐藤　私は鈴木宗男vs.田中眞紀子の事件に巻き込まれる前に、ソ連の崩壊をこの目で見たことは、その後の人生にとって非常にプラスになっています。

１９９１年８月にクーデターが起きたとき、私はソ連共産党の権力の中枢である共産党中央委員会に、毎日偵察に行きました。すると、深夜の一時、二時まで高級官僚が仕事を

していた。そこからわずか二キロ離れたロシア政府の庁舎を戦車が取り囲み、いつ砲撃が始まるかしれないような緊張状態でした。官僚が懸命に仕事をしても、国家というのはこうやって滅びるんだという原体験ができたんです。それは自分にとっては大きなことです。ソ連は国家がなくなるから、国営企業が全部なくなっちゃった。日本で言えば、全企業が北海道拓殖銀行や山一證券になったような話です（※1997年に、山一は自主廃業、拓銀は破綻した）。

池上　1991年は、ソ連にとってはとてつもない大変動の年でした。ソ連が崩壊する過程は、佐藤さんが『自壊する帝国』（新潮文庫）や『甦るロシア帝国』（文春文庫）で詳細に書いていますね。

佐藤　そうです。一方で、私が鈴木宗男事件から学んだ教訓は次のようなことです。こんな事件を経ても私は生き残っている。そこで**重要なのは何かと言えば、やっぱり筋を通すことです。そこで人に何かを被《かぶ》せて生き残ろうとする人間は、結局は信頼を失います。**

池上　危機に直面したときに筋を通すかどうかで、人間性はほんとによくわかりますね。

佐藤　そのあとの人生が変わってきますからね。それから、裏切った人のことを恨んでみてもしょうがないです。人はそのときの圧力次第でいくらでも変わるから、その局面になってみないと本当の姿はわからない。

池上 佐藤さんは、あの危機の場面で、人を裏切らなかったから、今この存在があるんですよ。

佐藤 誰かを裏切ったとして、一生誰かに怯えながら生きていくのは嫌じゃないですか。だから、自分が何かを被って終わりにできるんだったら、それでいいと思ったわけです。取り調べのときに検事は言うわけです、「鈴木さんが三井物産から賄賂をもらっているという供述をしてくれれば、われわれとしては嬉しいのだけど」と。私はそんな事実を知らないし、鈴木さんはもらっていないと確信していましたから。北方領土問題絡みで鈴木さんがカネを受け取ることはないという確信があったんです。

池上 そんなつもりで、鈴木さんはやっていないと。

佐藤 そうです。**政治家の行動について言うと、究極的な動機は、名誉か利権のどちらかなんです**。これは、両方一緒には追求できない。鈴木さんは、北方領土問題では名誉しか追求していなかった。政治家は名誉の場所に利権は持ってきません。逆に言えば、利権で北方領土に絡んでくる政治家とは、私は付き合わない。

池上 なるほど。

佐藤　モスクワのいかがわしいところで女性といかがわしい関係を望んでいる政治家は、北方領土問題に取り組みたいとは思っていません。だから、森喜朗、小沢一郎、鈴木宗男、こういう人たちはモスクワで一切へんなところに行かなかった。なぜかと言えば、北方領土問題を解決して、そこに嚙みたいというものすごく強い野心を持っているからです。いかがわしいことをしないがゆえに、こうした政治家たちには気をつけなきゃいけないと思っていました。

池上　野心が自分を律しているわけだ。

佐藤　だから、こういう人たちというのは、「知的再武装」のモデルにならない。いつも戦闘モードだから（笑）。

池上　再武装も何も、永遠に武装しっぱなしなんですね（笑）。

【第五章】いかに対話するか

ヒント52 基本的に、伝える前に大事なのは相手のことを「聞く力」。対話には型があると知っておく

池上　私は『伝える力』という本を出しましたが、**基本的に、伝える前に大事なのは「聞く力」**なんじゃないでしょうか。まあ、そういうタイトルの本も出ていますが（笑）。

誰かと何かの話をするときには、相手が何を求めているのか察知したり、良い聞き手になったりすることが肝腎です。何かを伝えるときに、こっちが言いたいことをどれだけ言おうかとそればっかり考えるんだけれども、まずは、相手が何を求めていて、何を知りたくて、何が聞きたいのか、そうした聞く力と想像力があってこそだという気がします。

佐藤　それは大事ですね。

池上　人間って不思議なもので、たとえば高校の同級生に会って、旧交を温めるときに話をするでしょう。そのときに、本当に客観的にみて五対五で話をすると、相手は十分に話した気にならない。六対四ないしは七対三で相手に喋らせると、ああ、今日はお互いに

言いたいことがいっぱい言えて良かったなと思うんです。だから、相手に六ないし七を喋らせて、ちょうど対話っていうのは成り立つんでしょうね。

佐藤　部下に奢《おご》るときの比率と一緒です。部下と五分五分で支払うと、部下は自分のほうが多く出したと思い、上司が七割ぐらい出して、だいだい半々ぐらいに思いますから。

池上　たしかに。でも、そのくらいだったら、全部出しゃいいんだけどね（笑）。やっぱり、お金も時間もそうですが、**相手のほうに多くを与えて、やっと向こうは対等だなと思う。**

佐藤　聖書にも、「使徒言行録」に、「受けるよりは与えるほうが幸いである」（20章35節）と書いてありますから。

池上　それですよ（笑）。

佐藤　私は対話については、三つのカテゴリーに分けて考えています。まず一つ目は、**「対話をするふりの対話術」。これは相手が言っていることとの反復です**。実質的には聞いていないのとほぼ一緒ですが、相手はそこで「よくぞ聞いてくれた」と勘違いしてくれる。

あるいは相手の言ったことを繰り返して、「ですね」とか「ですか」とか言って念を押すというのもあります。それを通したら聞いている雰囲気になります。これは、知らず知らずのうちに、みんなそのやり方を身につけています。夫婦の間でそれをずっと続けて、最後に奥さんから、「アンタ、ちゃんと聞いてるのっ！」と叱られるときのやり取りはだいたいそれですよね。上手にやらないと叱られます（笑）。

池上 実感がこもっていますね（笑）。

佐藤 アナウンサーや芸能人で座談の名手と言われる人は、この方法を駆使している人が多い。これはドストエフスキー（※フョードル・ドストエフスキー。ロシアの小説家。1821〜1881年）の『カラマーゾフの兄弟』に出てくるアリョーシャのやり方です。アリョーシャは相手の言葉を繰り返すことしかしないと指摘したのは、ロシア文学者の亀山郁夫さんです。相手の繰り返しだけだから、結局、本当の対話にはなっていない。

でも、それでだいたいの世の中の対話って成り立っちゃいます。意見が違う部分は、「う〜ん、そこはちょっと気になるねぇ」ぐらいにとどめて、あとは基本的に相手の言うことを繰り返すと、だいたい会話は流れていく。特に、人生相談とか、何かの相談事っていうのは、相手はすでに結論を決めていて、その後押しをしてほしいんです。

池上 そうそう。

佐藤 反社会性の強い話だけは否として、それ以外に関しては、全部相手の言うことを聞く。それが相談の名手です。牧師なんてみんなそうですよ。

池上　たとえば転職をしたほうがいいでしょうか、やめたほうがいいでしょうか、と来れば、転職したいからこそ相談に来るわけであって、ああ、それがいいんじゃないですかと後押しをする。

佐藤　ただし、会社の中でその相談に来るときは違いますね。これは大体、その本人が〝困ったちゃん〟で、〝構ってちゃん〟であることが多くて、転職を止《と》めてほしいから来るわけです。社内の転職の相談の場合は、「止めてくれ」が九割以上ですね。

池上　そこの会社とまったく関係のない人のところに相談に来るのであれば、それは押してあげるのがいい。私がＮＨＫを辞めたあとで、ＮＨＫを辞めたいんですがと相談に来る人がいたので、背中を押してあげました。

佐藤　歌舞伎と一緒で、型を覚えておくことです。**こういう人が来たら、何が出てくるかという型です。だから、対話には型があると知っておくべきです。**

ヒント53 話したふりをする、結論を決めておいて押しつける、弁証法的にお互いを高める。三つの対話術を適宜使い分けることが重要

佐藤　**対話術の二番目は、「相手を打ち負かす対話術」**。いわゆる世の中にあるディベート術のほとんどはそれですよ。これは最初から相手の言うことを聞かないやり方です。役所間の省庁合議とか、あるいは週刊誌の取材でも同じです。最初から答えは決めておいて、そこのところに落ちる言葉が出てくるまでねちっこくする。それが出てきたら、「いただき!」ってやつです（笑）。これは、相手を打ち負かす対話術の変形です。池上さんも、これは選挙の特番でときどきやっていますよね。来ないかな、来ないかな、キターッ、ど真ん中って。

池上　アハハ、バレたか（笑）。週刊誌の電話取材がだいたいそれですね。ははあ、これを言わせたいんだな、でも絶対に言うもんかって延々と頑張る。最後は向こうがあきらめる（笑）。

佐藤 対話術の三番目は、それこそディアレクティックな、弁証法的なもので、虚心坦懐に話をしながら「お互いを高め合っていく対話術」です。対話術の本には、どうも、この三番目の方法が書いてあるように見受けられますが、何事も誠実に話し合ってそこから始めるというのは、限られた人だけでしょうね。

考えてみれば、それは読書術で言えば速読と精読に似ています。普段の対話は速読と同じで、なんとなく流れを追っていけばいい。しかし、精読のような本当の対話はものすごくエネルギーの要ることですから、それをあちこちでやったらクタクタになってしまう。

家庭の中でも、自分の子どもの将来をどうしようとかいうような真剣な話においては、弁証法的な対話になってくる。しかし、人生の時間は限られています。大人の対話においては、「知的再武装」として重要なのは、**聞いたふりをするとか、話したふりをするとか、結論を決めておいて押しつけるとか、一番目や二番目の対話術を適宜使い分けること**だと思います。

池上 そうそう。「今日のラグビー、どう思う?」という話を夫がしているときに、妻はラグビーに全然関心がなければ、「ふ〜ん、そう、日本はすごいねぇ」と、そうやってラグビー好きな夫と話を合わせておいたら、それはそれでいいんです。

佐藤　だから、すべての対話を三番目の生産的かつ弁証法的な対話に持っていくんじゃなくて、大事なのは、一番目から三番目までの仕分けですね。たとえば二番目の、とにかく自分の立場を相手に押しつける対話に出たときは、負けたときには相手から押しつけられるわけで、そこには玉砕しかなくなってしまうことも知っておくべきです。社交場の対話とか、いろんな形の対話が人生には必要ですね。だから、**対話の達人とは、「対話の仕分けができる人」なんです。**

ヒント54　**いろんな話を聞き出したいときは、相手をいい気持ちにさせる。琴線と逆鱗はだいたい隣にあるから気をつける**

池上　あと、**いろんな話を聞き出したいときは、相手をいい気持ちにさせること**です。

佐藤　その通りです。

池上　佐藤さんも、『プレジデント』でいろんな企業のトップに話を聞いていますが、私なんかでもいろいろ話を聞くときには、驚いてみせる。「おお、そんなことが！」と知っていても知らないふりをするとか、「え〜っ、それで、それで？」と言うと、相手は気持ちよくなって話してくれます。

佐藤 『プレジデント』での対談の話をすると、準備がもう大変なんですね。相手に関するもので、まず書籍を複数見て、文体の違いを見ます。文体が一定なら本人が書いている場合があるんだけれども、文体や内容がバラバラならば、書籍を読んでも意味がない。次に直近のいろんな雑誌や新聞のインタビューを集めて、何を考えている人なのかを見て、それから結構大切なのは履歴で卒業した高校を調べることです。意外なつながりが出てくることがあります。

池上 その上でわれわれはインタビューをしているわけだけれども、直近のインタビューに出ている話をしたら意味がないわけです。違う話をどうやって引き出すかを一所懸命に考える。だいたい、何かで脚光を浴びた人って、次から次へといろんな媒体が取材に来て、みんな同じ話を聞きますね。すると、答える方はだんだんイヤになってきて、またその話か、みたいなことになる。そういうときに、思いもよらない質問が思いもよらない方向から来ると、オッとなって真面目に答えてくれます。

佐藤 もう一つ難しいことがあって、角度を変えて質問をした場合に、琴線に触れる質問をすればいいんだけれども、問題は**琴線と逆鱗《げきりん》ってだいたい隣にあるんです**（笑）。琴線に触れるつもりでヨイショすると、逆鱗に触れたりする。そこが難しいところです。

池上　痛いところを突いちゃうわけですね。

佐藤　だから、やり方としては、いろんな質問をまぶして、この辺は琴線だなと近づいたところでギュッと終わりに入る。最初からど真ん中で琴線を撃とうとしないことです。逆鱗に触れたら、そこで対談が終わってしまう可能性がありますから。だから、**四番目としてつけ足すと、「最初から琴線には触れない対話術」**ですかね。

池上　以前、フランスの経済学者トマ・ピケティが『21世紀の資本』が出たときに来日して、佐藤さんと私がそれぞれ別の媒体でインタビューすることになりましてね。ピケティが東大で学生相手に講演したあとで、まず佐藤さんがインタビューする。私は隣の部屋で待っていました。

その間、何を聞こうか、考えを煮詰めていくんですね。格差についてはいろんな人が聞くだろうし、佐藤さんと同じことを聞いたら、ピケティはうんざりするだろう。佐藤さんはきっとありきたりなことは聞かないだろうから、と考えていくと、どんどんハードルが上がっていきます。

佐藤 こっちが一番最初に聞いたのは、「私は経済の専門家ではないので、教えてほしいことがあるんです。労働賃金というのはどうやって決まるんでしょうか」。すると、「市場における需要と供給で決まるに決まっているじゃないか」。「では、その需要と供給が決まる基準って何かあるんでしょうか？」。すると、「うん、それは特段ないんじゃないか」って答えたんですね。「労働力の商品化」という概念を出してくると思ったんですけどね。だから、あ、これは『資本論』を読んでいないなと思って、資本について話しても意味がないと思った。

池上 彼の本のタイトルが『21世紀の資本』でしょ。もともとのマルクスの『資本論』の原題は、『ダス・カピタル』、つまり『資本』なんです。だから、『21世紀の資本』は明らかにマルクスを意識した題名で、出版社は『21世紀の資本論』とでもすればよかった。で、マルクス経済学について、ピケティは当然知っているはずだとなるわけです。それが違ったんですね。

佐藤 違いました。それでエマニュエル・トッド（※フランスの歴史人口学者・家族人類学者。1951年〜）の話に切り替えました。「エマニュエルのことはよく知っている。友人でもあるが、彼は一種の人種主義で……」とか何とか言って、それは面白かったんだけど、雑誌の記事ではそこは全部落ちていました。

池上　私はあのとき、ピケティが格差のデータがないものに関してはバルザック（※オノレ・ド・バルザック。フランスの小説家。１７９９〜１８５０年）のような文学作品から推定していたので、文学青年だったんですかと聞いたら、えらく喜んで、文学論を延々と語ってくれました。ピケティが文学論を語れば、ちょっと違うものになるからいいかという感じでした。

佐藤　だから、ピケティの場合は、マルクスの『資本論』が琴線であり逆鱗だったわけです（笑）。

ヒント55　双方の間でトラブルが生じない限りにおいては、お互いが誤解したままのほうがいい対話につながる

佐藤　昔、こんなことがありました。外務省を退官したあるエラいＯＢが、ロシアのブルブリスに会いたいと言ってモスクワに来たんです。

池上　前にも出てきた、ロシアの国務長官でエリツィン大統領の頭脳と言われた、すさまじく頭の切れる男ですね（【ヒント50】）。

佐藤　で、ブルブリスに向かって、「私は若いころにドストエフスキーの文学から強い感銘を受けた。特に『カラマーゾフの兄弟』が良かった」と件《くだん》のOBが言うわけです。当時、ブルブリスはロシアの政局の中で、「大審問官」と言われていましたから、もちろん当てこすりかと思って、警戒しますよね。そのすぐ後に、「私の人生の糧《かて》になったのは、トルストイとドストエフスキーの作品です」とOBは畳み掛けるんだけれども、ロシア人はその二人を絶対に同じ箱には入れません。トルストイは社会主義礼讃者たちが好きだし、ドストエフスキーは反体制ですからね。ロシア人と話すときには、その二人は逆鱗に触れる可能性があるから、言及しないほうがいい。

池上　誰なら無難ですか。

佐藤　ロシア人にロシア文学で誰が好きかと聞かれたら、チェーホフ（※アントン・チェーホフ。1860～1904年）と答えるのが正解です。美文で、個人的なことしか書いてないから（笑）。

それで、そのOBはまずヘンな人間だと思われた。次にブルブリスが聞くわけです、

『カラマーゾフの兄弟』の中で、ドミトリーとイワンとアリョーシャ、誰にいちばん共感しましたか」って。そしたら、OBは下のほうを向いて、「忘れた」って言うわけ（笑）。対話はそこから俄然面白くなって、「ハンチントンの『文明の衝突』が『フォーリン・アフェアーズ』に載ったけど、読みましたか」とOBが聞くと、「読んだけど忘れた」とブルブリスが答える（笑）。そして「シュペングラー（※オスヴァルト・シュペングラー。ドイツの哲学者。1880〜1936年）やミハイロフスキー（※ニコライ・ミハイロフスキー。ロシアの思想家。1842〜1904年）は日本語に訳されているか」と尋ねる。ハンチントンが言っていることは、シュペングラーやミハイロフスキーの焼き直しにすぎないと伝えているわけですが、OBには何のことかわからない。からかいモードに入ったんです。

池上　それは悲惨ですね。

佐藤　で、帰る時に、クルマの中で、そのOBから「今日の対談は有意義だった。しかし、ロシアの知識人もいまひとつだな、ハンチントンについて知らなかった。佐藤クン、キミもロシアの専門家でやっているのもいいが、アメリカにも少し目を向けたほうがいいな」とありがたいアドバイスを貰いました。その時に思い出したのが、ロシアの作家ドミトリー・ピーサレフ（※文芸批評家。1840〜1868年）の「**半教養は無教養より悪い**」という言葉です（笑）。

ブルブリスはハンチントンなんか読んで頭に入っているに決まっているじゃないですか。このOBの知性の水準は何なんだと思いましたよ。あれは今まで通訳して一番恥ずかしかった経験です。

池上 もう最初のやり取りで、OB氏を見切っちゃったんですね。

佐藤 でも、ブルブリスがやったのは、一番目の「対話をするふりの対話術」です。しかし、このOBにしてみれば、彼が前から持っている「ロシアは一段遅れている」というロシア観も満足させましたから、この対談はハッピーだったわけです（笑）。

この事例から引き出せるのは、対話術でも非常に重要なことですが、**双方の間でトラブルが生じない限りにおいては、お互いが誤解したままのほうがいい対話につながる**ということです。

池上 なるほど、相互誤解ですね。

佐藤 「美しい誤解」というのは、だいたいそういう場合です。人間はいろんな偏見を持っていますから、偏見と偏見がぶつかったときには、お互いにうまく棲み分けてしまう。

それはそれで非常にいいことなんです。何度も言いますが、「知的再武装」では時間が限られてきていますから、時間を有効に使うことが大事なわけです。

そのときにどのような対話をするかは、**対話の引き出しを三つぐらい持っておいて、どの対話にするか自覚すること**だと思います。

池上 大事なのは仕分けですね。対話する相手によって、ギアを替えていく。

佐藤 そこで難しいのは、同じ話は重複だとみんなは思うでしょ。必ずしもそうじゃなくて、同じ話を聞きたい心理も人間にはあるわけです。この人の十八番《おはこ》の話を聞きたいというのもあるから、重複によって人は退屈するわけじゃない。自分に十八番の話があるんだったら、毎回新規なことを入れなくてもいいんです。**相手が喜ぶネタだったら、繰り返してもいい**。

池上 そうかもしれない。先輩と話したときに、今日はあの話、出なかったなあみたいに淋しく思うこともありますから。

佐藤 会社の先輩とか同僚って、オハコネタを持っているものです。何度も聞くと話がちょっと違ったりするんですが、そのちょっとした違いが非常に重要になってくる。というのは、そこに心象風景の変化が表われるからです。特に話に登場する人物に対する評価が変わったりすれば、そこは重要な部分です。

池上 逆に言えば、繰り返される話を軽んじるなということですね。

佐藤 たとえば安倍政権の安定性を見るときに重要なのは、実は、いつも安倍政権側の論理を解説してくれる政治評論家たちなんです。彼らが少しでも政権に対して批判的なニュアンスを帯びたときには、この政権は危ない。これは、定点観測の手法です。同じような話をしているときは、政権が安定していると見るということです。

同じ意味で、ロシアでも、常に体制寄りのことを言うような人を何人か知っていないといけないわけです。定期的な定点観測で聞いて、少しでも批判的なことが出てきたら、その偏差を重要視しなければならない。**退屈な話は聞かないのではなくて、定点観測になる話は退屈でも毎回聞くこと**です。

ヒント56 配偶者との対話術を60代でもう一度訓練し直す。定年を迎えてから、特に最初の三カ月間が正念場

池上 定年後の対話術というと、どんなイメージになりますか? 誰とどう対話することになると思います?

佐藤 60歳を過ぎてからの現実的な対話といえば、一番大きいのは配偶者です。

池上 そうなんですよね。何もなければ、ほとんど家にいるわけですから。誰に対しての対話でもそうですが、相手に興味や関心を見せないと対話にはならない。だいたい長年連れ添っていると、相手に興味・関心がなくなるわけで(笑)。

佐藤 だから、そこは意識的に対話を作っていかないと、全部が対話術の一番目と二番目になってしまう。「あなた、お風呂洗っといてって言ったでしょ」、これは二番目で、対話の余地がない(笑)。

一番目の生返事になると、「隣のネコったら、もうひどいのよ、うちの庭に来て」「そう

か、ネコか、ひどいねぇ」「うちの花壇を荒らして」「そう、花壇ね、荒らして」「それで、穴掘って」「ああ、穴掘るんだねぇ」とか言って（笑）。とりあえず対話は流れているんだけれど、そのうちブチ切れられます。「ちょっと、アンタ、聞いてるの!!」（笑）。

池上　実感がこもってますね（笑）。

佐藤　そこで三番目の弁証法的対話術の具体的な中身は何かと言えば、子どもや孫がいれば、教育の話でもする。それがなければ、老人ホームとか、最後の終活をどうするのか。ほんとに二人の間で詰めていかなければならないシリアスな話ですね。あるいは楽しい方の話だったら、旅行ですよ。どこかの温泉に行ってみるとか、クルーズ船に乗ってみるとか。**夫婦間で三番目の領域をどこかに作っておかないと、いずれは大変なことになります**（笑）。

池上　ちなみに、クルーズ船については反対しておきますと（笑）、どこかに上陸するときはいいですけど、それ以外はひたすら狭い船室に朝から晩までずうっと二人ですよ。乗って大丈夫かどうかは、よく考えてみた方がいい（笑）。

佐藤　船によってはアトラクションが充実していたりしますよ。

池上　それは、だいたい夜ですから。昼間が厳しい。

佐藤　ずいぶんと抵抗しますね（笑）。まあ、われわれは長期旅行に慣れていませんから、二泊三日の温泉旅行とかから始めることですね。いずれにしても、旅に出れば、新しい対話のネタがないといけないわけです。その土地の食べ物でもいいし、小説でもいいですが。ネタが見つかるというよりは、二人の対話が成立するようなネタを意識的に作っていくことでしょう。いずれにしても、**60歳を過ぎてから配偶者はとても大事です**。

池上　話が盛り上がるとすれば、共通体験に関してですよね。旅行でも何でもいいんですけど、一緒の体験があれば、あれこれ話せる。

佐藤　共通体験と言っても、私は次の段階の共通体験が必要になると思う。どうして旅行とか活動的なこととかを、あえて60代でやるかと言うと、70代になると物理的に体が利かなくなってくる可能性があるからです。たとえば人工透析を週に三回受けなければならないとか、あるいはちょっと要介護に近い状態になるとか。そのときの共通の話題は60代で作っておかなければなりません。

池上　ほ〜お、いや、リアルですね。思い出作りですね。

佐藤　そう。思い出と言えば若いころのデートの話ぐらいしかなくて、サラリーマン生活ではほとんど思い出が作れていない。四十年間はパーッと空白なわけです。だから、70代に入る前に近過去の十年間ぐらいの共通体験を意図的に作らないといけない。**60代の旅行を私は大いに奨励しています。したがって、配偶者との対話術を60代でもう一度訓練し直さなくちゃならない**。

池上 ほ〜お。って、さっきからそればっかりですけど（笑）。

佐藤 四十年ぐらい対話をまともにしてないわけだから、これはすごく大変なことなんですよ。それは水泳をゼロから覚えるよりも難しいわけです。ヘンなフォームでも泳げる恰好がついているから。それでまた改まって始めると、何事かと相手も警戒しますからね。配偶者も60歳までは許してくれるんです。仕事があったからという理由で。しかし、60歳以降はその言い訳がない。とすると、プロポーズ前の付き合っていたときと同じぐらいの重要性が、**定年を迎えてからの一、二年、いやもっと正確に言えば、特に最初の三カ月間は正念場だ**と思いますよ。

私の周りがちょうど60歳を迎えていますからね。最初の三カ月を見ていると、ガタッと一回は来ていますね。だから、この三カ月の乗り切り方は、けっこう大変ですよ。

池上 う〜ん、これは深いなあ。会社を定年になったら、人生最大の試練が家庭内で待ち構えていたということですな。

佐藤　配偶者に向き合う前に、真剣な相談ができる友だちがいるか、先輩がいるか、部下がいるかですね。洞察力があって、信頼できる相手です。もし、自分の友だちと真剣な話ができるのならば、家に帰っても真剣な話が奥さんとできると思う。配偶者と向き合う準備段階として、友だちの良さってものがあるんです。

池上　確かにそれは、その気になれば、40代ぐらいから準備できるわけです。

佐藤　40代でも洞察力が優れた人がいますよ。ヘタしたら30代からそのことに気付いて、準備している人もいます。老人ホームとか介護施設をみたり、特にシングルの女性はすごくよくやっていますね。

池上　何がいちばん真剣なテーマかと言うと、自分の将来ですよね。「知的再武装」の中でそこを定めていかないと、スタート地点が決まらないということでもありますね。

佐藤　そう。対話術についていろいろ話してきましたが、実は、自分の将来という切実な問題とぜんぶ絡んでくるわけです。いかに学ぶか、いかに続けるか、何を学ぶか、それらすべてがこの問題に結びついている。その意味において、「知的再武装」はきわめて実存的なんですね。

ヒント57 会社を一つの有機体として見ると、その有機体はあるところで新陳代謝をするシステムになっている

佐藤 ここで60歳から65歳の年齢についてもう少し考えてみます。普通のビジネスパーソンは、会社に入ったら実力主義の中で生きて、仕事と家庭のバランスなんて言っている余裕がないところで働き詰めるわけです。仕事を中心にして回っているのが普通です。それが、60歳になった瞬間に、そこから放り出されてしまう。

組織は冷たいもので、人の新陳代謝をすることでシステムは維持されているから、そのまま回り続ける。すると、**組織から見るならば、60歳の人間というのは、一種の老廃物みたいな扱いになる。**

池上 確かにそうです。

佐藤 22歳から三十八年間を走り続けて、ある日突然、会社から出て行けと外に出される。老廃物とは言っても、生身の人間であって、物ではない。すると、その心理的な負担

は相当なものですよ。家庭のパートナーにしてみれば、男ってこんなに弱いのかと見えるわけ。そこで再雇用に入るとしたら、それは排泄物としてそろそろ外に出ることになるよという訓練期間ですね。その先が怖くてしょうがない五年間なんです。

池上　問題の先延ばし期間とも言えますね。

佐藤　いずれにしても新陳代謝はやってくるわけだから、働いてきた人間は、ある日突然、例外なく奈落に突き落とされます。表面上はそうは見えないかもしれないけれども、ストレスとその心理的な大きさについては、ちゃんと見据えておかないといけない。

池上　定年後の「暴走老人」なんかは現象面としては描かれているけれども、会社というシステムの中に、暴走老人を生み出す要因が組み込まれているということですね。

佐藤　**会社を一つの有機体として見ればいいんです。その有機体は、あるところで新陳代謝をするシステムになってしまっている。**60歳から65歳は過渡期で、遅くても65歳が最後です。どんなに能力のある人でも、そのシステムの枠の外に行ったときには、全然違う評価にさらされてしまう。

池上　ああ、それは分かりやすい分析ですね。

佐藤　そのときに、何か別の組織とか別の居場所が最初からある人はまだいいんです。

たとえば宗教団体とか、釣りのネットワークとか。だから、やまさき十三・北見けんいちの『釣りバカ日誌』（小学館）やその映画、あれが共感を呼んだのは、主人公が別のコミュニティを持っているということなんでしょう。

池上　そういうコミュニティを持っていなければ、自分の居場所を新たに見つけなければならないんだけど、それは大変でしょうね。

ヒント58　配偶者と対話をするとか、一緒に旅行に行くというのは、ハサミでゲノムを切る、ゲノム編集

佐藤　**片や、家庭は家庭という一つの有機体としてある**。会社員として現役のうちは、お父さんは夜遅い時間に帰ってきて、朝早く出て行く。土日も一日ぐらいはゴルフでいない。こういうようなサイクルを含んだ有機体として回っている。そこのところで、お父さんが一日中家にいるというのは、前提条件の大きな変更なんです。

国際法で言うと、「事情変更の原則」（※条約について締結当時もし予見できたならば、そ

の条約を締結しなかったと思われるような重大な事情の変化があとから生じた場合には、当事者の一方がその条約を破棄することを認める原則）です（笑）。家庭からしてみれば、それはあってはならない、大きな事情変更なわけです。だから、家庭という有機体の中にも居場所はない。

池上　家庭という有機体は、お父さんが平日ずっといることを前提にして作られていないわけですね、もはや（笑）。

佐藤　休みの日にお父さんがだらしなく寝ていたり、横になりながらゲームしたりテレビを見たり、そういう生活は有機体に組み込まれている。だけども、平日も一日中いるっていうのは、約束が違う。それは奥さんが言っているんじゃなくて、「家庭という有機体」が言っているんです（笑）。だから、奥さんがいくらそれを隠そうとしても、何か「出ていって」みたいな雰囲気になるのは、家庭という有機体にとって「家にずっといるお父さん」の存在がすでに異物になってしまっているからなんです。

池上　メタレベルからの解説ですね。

佐藤　自営業の人や農家では、そういう問題は生じないでしょう。それは仕事と家庭がもともと一体化したシステムだからです。

池上 なるほど、確かにそうだ。会社員だけに起きる問題だったんですね。

佐藤 近代の大多数の産業社会の中ではみんなそういうスタイルになっているから、普遍的な問題とも言えます。会社も家庭も一緒で、ともに有機体です。**会社という有機体からはじき出されて、家庭という違う有機体に入り込もうとする現象**なわけです。その会社の構成員として場所があったんだけれども、**会社での場所を失って、次にもう片方の場所に入ろうとしても、そう簡単にはいかない**という話です（笑）。家庭の主婦の力は、一つの有機体の中心で回っているわけだから。

池上 女性はたとえ働いている奥さんでも、会社と家庭という有機体に属していて、特に家庭ではコアの部分にいる状態なんですね。男性は家庭の部分に入っていなかったツケが回ってきたということですよ。

佐藤 そういうことです。有機体だから、何かウイルスが入ってきたような感じなんですね。

池上 有機体の防衛本能が発揮されているんですね。

佐藤 そうすると、そのままじゃどうしたって居場所はありません。そこで必要になってくるのがゲノム編集みたいなことです。**配偶者と対話をするとか、一緒に旅行に行くと**

いうのは、ハサミでゲノムを切る、ゲノム編集なんです（笑）。有機体に自分が入れるようになる編集作業だと思えばいい。

池上　なるほどねえ。

佐藤　だから、60歳から65歳ぐらいの間に、つまり60代の前半で有機体の再編集作業を始めないといけないわけです。**そこで成功した人が比較的楽しい60代以降を送れるんだけれども、そこで失敗すると非常に疎外感を味わう余生が待っている。**そんな気がしますね。

池上　だから、そういうことも含めた「知的再武装」なんですね。**40代以降、特に60代の前半で、ゲノム編集という最大の戦いが待っている。これに対応するには、「知的再武装」しかないんですよ。**

佐藤　異物はペッと吐き出されちゃうから、ゲノム編集をうまくして、吐き出されないようにしないといけません。

池上　だから、定年を迎えた世の旦那たちが、昼間は仲間となんかやったり図書館に出かけたりして、何かしらの用事を作って外出するのは、無意識のうちのサバイバルだったということですね。

佐藤　図書館に一日中いて、夜に帰ってきて、はい、ご飯、お風呂。それで、今日はこんなことがあったと話は円滑に進む。昼はいないことを前提に出来上がっているシステムだからなんですね。だから、世の中で亭主が言われている「粗大ゴミ」という表現は当たっているんです。ゴミなんです、異物なんです。

池上 ゴミなのに、家の中に入り込もうとしていますからね。家の中のものじゃないのに。

佐藤 そうそう。ただし、この扉は夜は開いているわけ(笑)。有機体は父を「夜だけいてもいい存在」として認識している。

池上 そのドアを昼も開いているようにゲノム編集することですね。

佐藤 たぶん池上さんが、仕事用のマンションを借りたというのは、夜だけ帰るスタイルを無意識のうちに維持していたのだと思います。そうしないと、有機体の中で大変なことが起きるのを察知したんでしょうね。だって、家で仕事をした方が、マンション代は浮くじゃないというのが普通の考え方ですから。

池上 家でパソコンで原稿を書いていたら、深夜にキーボードの音がうるさい、眠れないって、えらい文句が出ましてね。

佐藤 ああ、有機体からの警告ですね。

池上　警告です（笑）。やっぱり乗ってくると、つい力が入って、バチバチバチッと打つわけです。あるいは本がいっぱいある、何とかしなさいと。部屋を借りたら、そこはいくらでも本の置き場になるし、思う存分キーボードを叩いても大丈夫。

そうか、無意識のうちに私は折り合いをつけていたわけだな。と言うか、単に追い出されていただけかも（笑）。

佐藤　でも、要介護になったら、あきらめてくれるかもしれない（笑）。考えてみると、今、殺人事件の半数以上が家庭の中だから、世の中のいちばん危険な場所は歌舞伎町じゃなくて家庭なんですよ。

池上　そうですよ。殺人事件が家庭内に多いのはずっと以前からそうですが。

佐藤　そのことを自覚しないといけない。**危険な場所にいるんだってことを認識した上で、家族との関係は構築しなければならない。**

池上　あと事故も多い。風呂場で転倒したとか、ガスとか火事とか何かの事故で死んだり、寝たきりになったり。それが起きる場所が家庭ですから。

佐藤　家庭はけっこう怖いんですよ。**家庭は危険がいっぱい。必ずしも安楽な場所だと思わない方がいい。**

池上 確かに。

佐藤 ただし、その中の受動的なコマなんじゃなくて、一プレーヤーですから、能動的に変えられるわけで、そこが面白いところです。

ヒント59

物忘れとは戦わなくていい。朝きちんと着替えて、面倒くさくてもちゃんとヒゲを剃る。一日に一度は必ず外へ出る

佐藤 家庭の中の怖い話をしてきましたが、自分の中で起きる怖い話として物忘れがありますね。**物忘れというのは、どうしても起きてくることですが、それとは戦わなくてもいい**。どうしてかと言うと、不必要なことを忘れているだけだからです。忘れちゃうことはそんなに恐れなくてもいい。それは生きるために、不必要なことを忘れているわけだから。

池上 年をとっていろいろなことがすぐに思い出せなくなるのは理由が三つあります。一つ目は加齢による肉体の衰え。これは仕方がない。二つ目は年齢を重ねるほど経験記憶の総量が増えていくこと。荷物がパンパンの倉庫から特定の品物を取り出すのは大変なんです。三つ目は必要な記憶とそうじゃない記憶を、無意識に仕分けしているからですね。イヤなことは忘れていくわけで、それをずっと覚えていたら生きていけません。記憶には、都合の良い編集機能がついています。防衛忘却ってやつです。

佐藤　戦争体験を聞いても、だいたい楽しそうな話になるでしょ。ほんとは上官にビンタされたりしてとんでもないことなのに。私だって、獄中に五百十二日いて、イヤなことの方が多かったはずなのに、もう編集されて上書きされていますから。あのときの食い物が旨かったとか、看守でいい人がいたとか。イヤなやつもいたんだけれども、無理やり思い出そうとしなければ思い出せない。

それも性格によるかもしれないけど。天才的に悪いことだけ覚えているやつもいるけどね（笑）。

池上　私の場合は、いろんな解説を書いたり、テレビで喋ったりするときに、ちょっと前の話にも触れることでいちいち復習しているんですね。それが物忘れの対処法になっている。去年と同じ話をしようとして忘れているときには、あらためて教科書や自分のノートで振り返ります。やっぱり、**繰り返すこと、常におさらいをすることが重要です。**

佐藤　直近の記憶がどうしても弱くなってきますよ。それに関しては**メモを取る習慣をつけておく。必要なら、トゥ・ドゥ・リストを作っておく。**

池上　固有名詞は厄介ですね。その属性とか、どこで生れて、どんな経験をしてとか、いくらでも喋れるのに、え〜と、え〜と、みたいにして、その人の苗字と名前がどうしても出てこない。

佐藤　固有名詞は記号化できませんから難しいです。私も忘れることがしょっちゅうあります。もう少し進行すると、古い記憶が出てきて、それで直近のことは全然覚えられなくなるみたいですね。

池上　**本当に怖いのは記憶力の衰えではなくて、好奇心の衰えですよ。**昔、ある番組をやっていたときに、再雇用された大先輩で番組制作を手伝ってくれた人がいたんです。最初のうちは、実はこんな話がありましてねって振ると、おうおう、それで、それで、と来たのに、その人が65歳を超えたあたりから、急に好奇心を失っていくわけです。こんなことがありましてねと言っても、ああ、そう、で終わっちゃう。

こういう人でもこうなるのか、こうやって知的生産性が失われていくのかと、衝撃でした。だから私は、**65歳を過ぎても、とにかく好奇心を持ち続けなければならない**って思うんです。

佐藤　情報が消化できなくなるから、消化できる範囲のものしか取らないということになっちゃうんでしょうね。老齢化した政治家でそういう人がいるでしょ。世間の基準からしたら、限りなく「ボケ老人」に近いんだけれども、自分は日本の政治を背負っているんだと気概だけは衰えない人が。

池上　大事なのは、自分のことをどれだけきちんと認識できるか、自分を客観視できるかですよ。自分がいないとこの世界は……みたいに思い始めるというのは、自分を客観的に見られなくなっていることですから。

佐藤　かつて自分たちが先輩に対してそういうふうな見方をしていた人でも、かなりの確率で客観視できなくなってしまう。それは物忘れよりもはるかに怖い。だから、自分も決して例外じゃありません。**いろんな意味での終わりを、自分で決めなければならない**ということでしょうね。

池上　それで言うと、定年退職で、完全にリタイアして家にいるでしょ。そうすると、最初の数日間はヒゲを剃らなくていいのが嬉しくてね（笑）。だんだんそのうちに朝から昼過ぎまでずっとパジャマのまんまで新聞読んだりメシ食ったりして。着替えなくてもいいって、すっごく嬉しい、楽しいんですよ。それ、ダメね（笑）。

佐藤 それは大学で留年するパターンと一緒ですよ（笑）。大学で下宿暮らしで、試験だけ通れば、朝何時に起きてもいいと。そのうち着替えないで、昼夜逆転して、一日中パジャマで、コンビニぐらいだったらパジャマで行ってもいいや。そういうふうになると、だいたい留年です（笑）。一年の留年だけで済まないことが多いですけどね。

池上 冬になったら、パジャマの上にコートをはおればいいと。

佐藤 さらに便利なもので、ジャージってものがある。

池上 あ、そうそう。あれはダメですよ。腰周りの緊張感がなくなるから（笑）。

佐藤 ジャージというのは、パジャマでも昼着でも使えるでしょ。あの万能性はきわめて危ない（笑）。60歳を過ぎてジャージを覚えないで、毎朝、着替えることです。

池上 **朝きちんと着替えて、面倒くさくてもちゃんとヒゲを剃る。これはすごく大事。それから一日に一度は必ず外へ出る。あるいは居場所を作るなり、行く場所を作る。**

佐藤 そう。喫茶店代とかドトール代とか、それをケチらないで、外で一杯ぐらいはコーヒーを飲む。

池上 だから、私、行きつけの本屋があるから、そこで本を買って、すぐ横のタリーズでコーヒーを飲んで、ちょっと本を読んで帰る。タリーズはちょっと高いから、ドトールなら安くていいですよ（笑）。

佐藤　こういうのは本当に重要です。そうじゃないと、ほんとに一週間、十日、外に出なくなるでしょ。そしたら、そのうち一カ月外に出なくなります。

池上　足腰はどんどん弱くなるしね。だから、**着替える、ヒゲを剃る、外に出かける、これが「知的再武装」だっていうことなんです**（笑）。

佐藤　形から入ることは大事です。いろんな知的なことへの関心が薄れていって、好奇心も薄れていく。生きることがマニュアル処理になってしまって、流れ作業で物事を処理することになってくる。**まずは、流れ作業を崩すことです**。ルーティンになっちゃうと考えなくなるから、ルーティンが崩れるような事態が起きたら対応できなくなってしまいます。

池上　外に出ないと足腰が弱まるでしょ。足腰が弱まると、知的意欲や好奇心が薄れてきますから。**足腰をあえて鍛えなくてもいいけど、弱くならないようにするってことも大事です**。

佐藤　私は五百十二日間、獄中にいたでしょ。足腰が弱まるということを実体験したんですが、出てきてから、駅の階段が上がれないんですよね。筋力が完全に落ちてしまって、だから、もう必死にリハビリと一緒のことをしました。

ヒント60　60歳や65歳からは、新しい人生を作っていくことに注力すればいい

佐藤　50代になると、どうして同窓会が増えるのか。50代になると、二重に人生が見えてくるからなのでしょうね。まずは会社のキャリアが見え、そして第二の人生が見え始める。

昨年亡くなった高校時代の親友が言っていたんですが、社会に出てから親友と呼べるレベルの人たちも出てくるんだけれども、どこかで利害関係がある。自分ががんの告知をされて、余命が十カ月足らずということになると、学生時代の友だちがいい。利害関係がないから、いろんなことを出しても大丈夫だし相談できると、しみじみと言っていました。

社会人になってから一緒の会社にいた人間のほうが、よほど性格や能力や仕事のクセも

知っている。学生時代の友だちがいいのは、再会まで長い期間が空いているからこそであって、そうしたことを知らないからです。

池上　たしかに気軽でいいですよ。

佐藤　会社で同期入社だとした場合、たとえば片方は副社長まで行って、もう片方が部長待遇止まりで、52歳ぐらいで子会社に行ったと。同期入社でいくら仲が良くても、同じ60歳を迎えたときには、どうしても会社の人間関係を引きずってしまう。

ところが学生時代に同じ部活をやっていた場合、片方は高級官僚になって事務次官までやって、もう片方は中小企業の平社員だったとしても、そんなこと、付き合いには関係ないですからね。

池上　60歳とか65歳までは会社にいるでしょ。会社の中にいると人事のことが気になったり、同期のあいつがどうなったのに、自分はこうだとか、いろいろ意識するわけです。でも、会社人生が終わったあとは、長い人生がけっこう続くわけで、辞めて何年も経てば、ほんとにどうでも良くなります。

佐藤　コップの中にいる限り、嵐は重要だからですね。

池上　そうなんです。外へ出ちゃったら全然関係ないし、ましてや何年も経てば、「そういえば、昔そんな会社にいたな」みたいなもんです。要は、**60歳や65歳からは、新しい人生を作っていくことに注力すればいい**んです。

少なくとも、朝の満員電車に乗らなくてもいいのが、どれだけ素晴らしいことか。そこで**奪われ失われていったエネルギーを、会社から解き放たれたんだから、もっと有効に使おうよ**ということですね。

あとがき

ギリシャ語のテロスという言葉がある。この言葉には、「終わり」「目的」「完成」という三つの意味がある。辞書を引くと英語の「エンド（end）」にも「終わり」と「目的」という意味がある。終わりの時点で目的が達成されるのだから、それは完成でもある。英語のエンドとギリシャ語のテロスは同じ事柄を意味している。

人間にとっての終わりは、とりあえず死だ。「とりあえず」という留保をつけたのは、私がキリスト教徒で、死後の復活を信じているからだ。しかし、日本人の大多数は、キリスト教徒ではないので、死後の復活を前提に話をすることについて、一般書では抑制しなくてはならない（神学書を書くときには死後の復活を前提にして議論を展開している）。死を前提にして、知について池上彰氏と率直に語り合ったのがこの本だ。

最近では、リベラルアーツ（教養）が見直されている。ＡＩ（人工知能）技術やバイオテクノロジーが急速に発展している状況で、生き残っていくためには教養が必要だという認識がビジネスパーソンの中に広まっているからだと思う。ただし「生き残るために必要だ」と脅迫されているような環境で、真の教養は身につかない。

知識の量をいくら増やしても、教養にはつながらない。知識だけでなく、人間の意識や情動などが総合されることによって教養になる。だからAI技術がいくら発展しても、それだけでは教養につながらないのである。AI技術を含む情報テクノロジーが持つ危険性について米国ジョージタウン大学のカル・ニューポート准教授が興味深い指摘をしている。〈生活に受け入れた当初はそれぞれごく小さな役割しか担っていなかった新しいテクノロジーが、全体ではいつの間にかそれを大幅に超える存在になっていたという、より分厚い現実と正面から向き合ったとき初めて不安の理由が鮮明になる。それらのテクノロジーは、私たちの行動や気分に及ぼす影響力をじわじわと強めてきた。そしていつしか健全な範囲を超えた量の時間がそれに食われ、その分、もっと価値の高いほかの活動が犠牲にされている。つまり、私たちが不安に思うのは、〝コントロールを失いかけている〟という感覚があるからだ。その感覚は、日々、さまざまに形を変えて表面化する。子供を風呂に入れていて、携帯電話が手の届かないところにあるとき。この瞬間を写真に記録してバーチャルな観客に見せなくてはという強烈な衝動に邪魔されて、いま目の前で起きているできごとをただ楽しむことができないとき。

有益かどうかは問題ではない。主体性が脅かされていることが問題なのだ。
となると、次に問うべき質問は、私たちはなぜこんな状態に陥ったのかということだろう。私が知るかぎり、日常のなかのオンラインで過ごす部分に振り回されている人々の大半は、意志が弱いわけではないし、愚かなわけでもない。順調なキャリアを歩むプロフェッショナルや勉学に励む学生、愛情に満ちた父親や母親ばかりだ。みな能力が高く、目標達成に向けて懸命に努力するのがふつうだと思っている。ところが、日常のいろいろな場面で顔を出すほかの誘惑は退けられるのに、スマートフォンやタブレットのスクリーンの奥から手招きしているアプリやウェブサイトにはなぜか抵抗できず、本来の役割をはるかに超えて生活のあちこちに入りこまれてしまう〉（カル・ニューポート［池田真紀子訳］『デジタル・ミニマリスト――本当に大切なことに集中する』早川書房、2019年、26～27頁）
生活のあちこちに入り込んでくる情報（その中には教養をつけなくては生き残れないから本やDVDを買えとかセミナーに参加しろという類いの脅迫型の宣伝も含まれる）を遮断して、立ち止まることこそが真の教養の力なのである。人間は例外なく死ぬ。時間的制約の中でしか、われわれは自由を行使することはできない。一日も二十四時間だ。この時間を、どのように充実して使うかについて、人生の折り返し点を過ぎた40代後半以降の人々を念頭に置きながら、私はこの対談を行った。もちろん20代、30代、40代前半の人たちにも、人生の戦略を立てる上で本書は役に立つと私は確信している。
書物を通じて、時空を超えた知識を身につけるとともに、人数は少なくても波長の合う友人（私にとって池上彰氏はその一人だ）と会話を楽しむことが私の知的再武装術である。本書でこの技法について私は極力、具体的に説明するようにした。

本書を上梓するにあたっては、文春新書の石橋俊澄氏、前島篤志氏にたいへんにお世話になりました。どうもありがとうございます。

2019年12月27日、曙橋（東京都新宿区）の書庫にて

佐藤　優

池上　彰（いけがみ あきら）

ジャーナリスト。1950年長野県生まれ。慶應義塾大学経済学部卒業後、73年NHKに入局。94年から11年間にわたり「週刊こどもニュース」でニュースを解説し、人気を博する。2005年NHKを退職後、作家、フリージャーナリストとして活躍。主な著書に『伝える力』『世界を変えた10冊の本』『おとなの教養』『池上彰の世界の見方』など多数。

佐藤　優（さとう まさる）

作家・元外務省主任分析官。1960年東京都生まれ。同志社大学大学院神学研究科修了後、外務省に入省し、在ロシア連邦日本国大使館などに勤務。その後、本省で主任分析官として活躍。2002年背任と偽計業務妨害容疑で逮捕・起訴。09年有罪確定（懲役2年6カ月、執行猶予4年）。13年に執行猶予期間を満了し、刑の言い渡しが効力を失った。主な著書に『国家の罠』『獄中記』『自壊する帝国』『私のマルクス』『読書の技法』『調べる技術 書く技術』など多数。

文春新書

1254

知的再武装《ちてきさいぶそう》 60のヒント

2020年3月20日　第1刷発行

著　者　池上　彰
　　　　佐藤　優
発行者　大松芳男
発行所　株式会社 文藝春秋

〒102-8008　東京都千代田区紀尾井町3-23
電話（03）3265-1211（代表）

印刷所　理想社
付物印刷　大日本印刷
製本所　大口製本

定価はカバーに表示してあります。
万一、落丁・乱丁の場合は小社製作部宛お送り下さい。
送料小社負担でお取替え致します。

ISBN978-4-16-661254-3